Les techniques
de vente...
qui font vendre

Les techniques de vente...
qui font vendre

Marc Corcos

Ingénieur-conseil à la CEGOS

Dunod

Marc Corcos a commencé sa carrière professionnelle comme vendeur. Après avoir été directeur régional, directeur des ventes, puis directeur commercial d'une importante société internationale, il est entré à la Cegos en 1969 au département marketing. Il est à ce jour ingénieur en chef à Cegos Vente et Opérations commerciales, où il exerce les fonctions de conseiller et de formateur auprès d'entreprises nationales et internationales. Il a formé et perfectionné plus de 8 000 vendeurs au cours de conférences, stages et séminaires sur les techniques de vente et de communication.

Les précédentes éditions de cet ouvrage ont été publiées dans la collection "Garnier Entreprise".

© BORDAS, Paris, 1988
ISBN 2-04-018713-8

TABLE DES MATIÈRES

Introduction

Est-ce un lieu commun de dire que vendre est complexe et difficile ? Probablement. Est-ce une évidence d'écrire que pour être un bon vendeur il faut être capable de posséder de nombreuses qualités qui s'opposent parfois les unes aux autres telles que fermeté et gentillesse, empathie et projection ? Sûrement. Est-ce un stéréotype d'affirmer que chaque vente est unique, imprévisible et hasardeuse et que quelle que soit la préparation, les réactions du client sont tellement aléatoires que l'issue ne peut être prévue à l'avance ? A coup sûr.

Dans ces conditions, puisque vendre requiert tant de qualités si différentes les unes des autres et que tant d'éléments concourent à faire que chaque situation est sans comparaison avec la précédente, comment en parler sans la simplifier à outrance ou sans tomber dans le piège de l'empilage de trucs, valables à un moment donné mais inutiles et inapplicables dans un contexte différent ?

La démarche choisie a été de recenser parmi toutes les nombreuses règles et techniques appliquées à la vente les quatre principes fondamentaux et les six conditions essentielles qui, tout en ne réduisant pas cet ouvrage à un livre de recettes, donne a celui qui veut se former ou se perfectionner quelques conseils, pour avoir une chance supplémentaire de réussir dans la vente.

Cet ouvrage se veut donc essentiellement synthétique et pédagogique et constitue plus « un filet de sécurité » auquel on peut se raccrocher qu'une encyclopédie de la vente.

Et comme la pédagogie est faite pour faciliter l'acquisition de connaissances et favoriser leurs mises en œuvre, il était inutile de faire de cet ouvrage une thèse rébarbative et ennuyeuse qui n'aurait été qu'à l'encontre du but recherché. Nous avons préféré lui donner un tour aimable et parfois badin en demandant à Tito Topin d'illustrer par des bandes dessinées quelques situations caractéristiques qui tout en amusant le lecteur, lui permettront peut-être de mieux fixer les techniques à mettre en œuvre et les erreurs à éviter.

Cette introduction ne serait pas complète si je ne remerciais mes camarades de Cégos VOC * pour les conseils qu'ils m'ont donnés à la rédaction de cet ouvrage.

---

* Cégos VOC est un département de la Cégos. Sa vocation est d'aider les entreprises à se développer dans le domaine de la Vente et de l'Organisation Commerciale.

1re PARTIE

LES DIFFÉRENTS TYPES DE VENTE

LES DIFFÉRENTS TYPES DE VENTE

Pendant que vous lisez ces lignes, une formidable bataille se joue autour de vous. Des centaines de milliers de vendeurs sont face à leurs clients et tentent de leur vendre une idée, un produit ou un service.

Qui sont-ils ?

Ici, le visiteur médical. Il a trois à quatre minutes pour convaincre le médecin de prescrire son médicament. Six à sept fois par jour, il répète inlassablement les arguments techniques qui devront prouver que son produit a plus d'effets bénéfiques pour les malades que celui déjà utilisé par le médecin.

Là, l'ingénieur d'affaires. Depuis six mois, il est en rapport avec l'industriel à qui il présente maintenant le devis final pour l'installation d'une usine. Il a eu au préalable des dizaines de contacts avec des architectes, des techniciens, des financiers, des bureaux d'études, etc... Ce sera peut-être la seule affaire qu'il aura à traiter cette année.

Plus loin, un vendeur d'assurance-vie. Il fait du porte à porte à la recherche du client à qui il ne vendra qu'une fois son produit : une promesse d'argent... pour après sa mort. C'est la trentième fois aujourd'hui qu'il sonne, attendant, inquiet, de voir l'inconnu qui lui ouvrira.

Là-bas, le vendeur en parfumerie. Il ne vend qu'aux détaillants. Tous les trois mois il les visite régulièrement pour renouveler sa gamme de produits et pour tenter d'en placer un peu plus que la fois dernière.

Qu'ont-ils en commun ces vendeurs ? Rien, me direz-vous. L'un voit trente prospects par jour, l'autre deux clients par an. L'un vend un produit standard, banalisé, l'autre un ensemble de services et de produits complexes qui devra être mis spécialement au point, sur mesure.

L'un vend un produit à dix francs, l'autre de plusieurs dizaines de millions.

L'un s'adresse à un revendeur ou à un prescripteur, l'autre à un utilisateur.

L'un est ingénieur, l'autre reconverti dans la vente pour avoir voulu fuir le salon de coiffure ou la banque.

Ce qu'ils ont en commun ? De l'instinct, de l'intuition. Une extraordinaire envie de séduire, de convaincre, d'influencer l'autre. Une conviction totale dans l'utilité et la qualité des produits ou services présentés. Un besoin formidable d'échanger, de communiquer et de gagner. Mais surtout ce qu'ils ont en commun et qui en font de vrais professionnels, ce sont des techniques acquises par l'expérience ou la formation. Techniques qui leur permettent de connaître rapidement les besoins et les attentes de leur client, de placer l'argument qui touche au moment où il le faut, de répondre calmement aux objections, de rassurer au moment de la décision et de conclure avec confiance et détermination.

Ce sont ces techniques que nous allons découvrir ensemble tout au long des pages qui vont suivre et qui s'adressent à tous, ingénieur d'affaire ou vendeur en porte à porte, technico-commercial ou prospecteur.

Mais auparavant nous allons examiner quelques types de vendeurs efficaces... et quelques autres inefficaces.

De la même manière qu'il n'existe pas de vente-type, il n'existe pas de vendeur-type. Pourtant l'on s'aperçoit quand on analyse une population large de vendeurs qu'il existe des constantes liées à la fois à leur personnalité et à la fois à l'environnement. L'environnement étant les différentes influences qui vont pousser le vendeur à agir dans un certain sens. Parmi les critères qui peuvent définir l'environnement, citons *l'entreprise* avec ses règles du jeu interne, son image de marque, son style, *les marchés*, les clientèles, les stratégies de vente, les actions commerciales ainsi que les *produits*, leur technicité, leur degré de sophistication, leur prix, etc... qui vont modifier les styles de vente. Ces constantes vont déterminer cinq grandes classifications de vendeur. Bien sûr chaque vendeur n'est pas figé dans un style et suivant les situations particulières et les types de clients différents qui se présenteront à lui, il pourra passer d'un style à un autre. On pourra dire que son style est sa manière de réagir aux modifications de l'environnement. Selon que sa personnalité est plus ou moins affirmée, il changera plus ou moins souvent de style.

Les deux dimensions de la vente

Dans sa relation avec le client, le vendeur a deux types de préoccupations :

— l'intérêt pour le produit qui peut aller de la récitation convaincue d'un argumentaire très technique au dialogue actif dans le souci de faire acheter ;

— l'intérêt pour le client qui peut aller du souci de le satisfaire coûte que coûte au simple climat de confiance.

L'intérêt pour le produit ou le client est plus ou moins fort d'un vendeur à l'autre, mais il est présent chez tous les vendeurs. Pour déterminer le style de chacun des vendeurs il faut savoir si l'intérêt pour le produit est plus fort que l'intérêt pour le client ou inversement et comment ces deux préoccupations peuvent se combiner.

Chaque combinaison a son côté efficace et son côté inefficace. Nous allons voir en premier les cinq styles efficaces :

Les 5 styles efficaces de vendeur

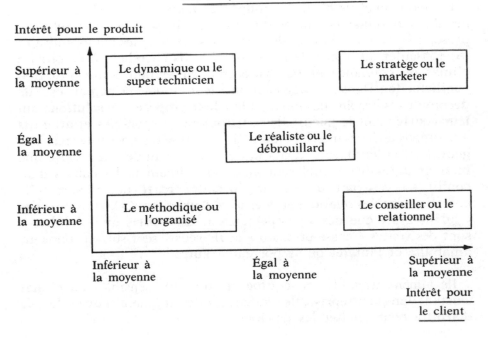

Les 5 styles efficaces de vendeur

1 - *Le dynamique ou le supertechnicien.*

Sur le graphique on constate que chez ces vendeurs l'intérêt pour le produit est très supérieur à l'intérêt qu'ils peuvent porter au client. En fait, ils établissent avec leurs clients des relations correctes mais sans grande chaleur. Pour ces vendeurs, seule la réussite compte et cette réussite passe par deux qualités : la compétence technique et le dynamisme commercial. Ils connaissent bien les produits et leur environnement technique. Ils sont capables d'apporter à leurs clients une information détaillée, précise, hautement qualifiée. Sur le plan commercial, ce sont des fonceurs. Ils aiment la compétition et les situations difficiles. Ils recherchent les résultats élevés, se battent pour décrocher des affaires importantes ou pour convertir les prospects en clients. Ils se fixent des objectifs élevés et mettent tout en œuvre pour les atteindre. Ce sont des gagneurs et dans la négociation, la pression sur le client est forte.

2 - *Le conseiller ou le relationnel.*

L'intérêt pour les clients domine très nettement l'intérêt pour le produit. Ces vendeurs attachent une grande importance aux rapports personnels avec les clients. Ils savent les écouter, les comprendre et les conseiller au mieux de leurs intérêts. Ils cherchent à établir un climat de confiance et de sympathie en évitant toute situation conflictuelle. Dans la négociation, leur souci principal est de découvrir les besoins des clients pour leur proposer les solutions qui leur conviennent le mieux. Ils sont toujours disponibles et attentifs aux propos de leurs interlocuteurs. Ils savent se faire accepter par leur gentillesse et leur faculté d'adaptation. Ils évitent de s'imposer d'une manière agressive et préfèrent analyser calmement les causes d'un conflit en essayant de ne pas prendre parti brutalement. Ils entretiennent des relations suivies avec leurs clients. Ce sont plus des « fidéliseurs » que des « prospecteurs ». Les ventes qu'ils réalisent sont des ventes « basse pression » et ils réussissent surtout par leur amabilité et l'intérêt qu'ils portent à autrui.

Ils aiment travailler en équipe et sont très sensibles au climat existant dans l'entreprise. Ils rendent service et jouent souvent le rôle d'arbitre pour apaiser les tensions.

Le vendeur méthodique

3 - *Le méthodique ou l'organisé.*

Ces vendeurs ne cherchent ni à dominer ni à être aimés. Ils remplissent leur contrat avec précision et régularité. Ils n'aiment ni foncer, ni entretenir des relations particulières avec leurs clients. Ce qu'ils fuient c'est l'imprévu, l'inhabituel et le désordre. Ils recherchent l'ordre, l'organisation, la méthode. Ils ont des argumentaires tout prêts qu'ils ont testés et qui leur permettent d'avoir toujours le mot juste, la réponse adéquate à l'objection. Ils ne sont pas pris au dépourvu. Leur fichier est toujours impeccablement tenu et leur tournée préparée très longtemps à l'avance. Ils ne se rendent jamais chez un client sans avoir toutes les informations qui leur permettront de mieux maîtriser l'imprévu. Dans leur négociation, ils sont posés, précis et méthodiques. Ils structurent leur propos, présentent avec ordre les différents arguments, répondent calmement aux objections. Ils le font d'une manière un peu froide et distante et leurs relations avec les clients manquent de chaleur. Ils ratissent leur secteur d'une façon systématique et pondèrent leurs efforts en fonction des différents potentiels.

4 - *Le réaliste ou le débrouillard.*

Ces vendeurs ne sont pas des perfectionnistes et ne sont pas non plus très engagés, ni vis-à-vis des produits ni vis-à-vis des clients. Ils sont réalistes et essaient de s'adapter à toutes les situations qui se présentent sans imposer fortement leur personnalité. Ils appliquent des techniques de vente éprouvées et utilisent des arguments qu'ils ont déjà testés et dont ils connaissent l'efficacité. Leur intuition et le sens d'analyse d'une situation leur permettent de lâcher du lest quand il le faut et de reprendre la négociation en main quand cela s'avère nécessaire. Ils trouvent les aménagements nécessaires pour satisfaire les deux parties. Ce sont des hommes de compromis. Ils n'essaient pas d'agir fortement sur une situation mais de l'utiliser à leur profit. Leur attitude n'est pas fixe et change en fonction des interlocuteurs et des circonstances. Ils ont l'art de retomber sur leurs pieds. Ils ne veulent pas être esclaves d'une organisation commerciale trop stricte et préfèrent agir au coup par coup en saisissant et en exploitant au maximum les opportunités quand elles se présentent.

5 - *Le stratège ou le marketer.*

Il s'agit de « grands négociateurs » capables à la fois d'entretenir des relations amicales avec des clients satisfaits et d'obtenir des résultats de vente élevés. Leur but est de développer très fortement les ventes tout en améliorant l'image de l'entreprise et en se faisant apprécier de leurs clients. Ils refusent pour cela les compromis illusoires ou la gentillesse inutile. Ils recherchent avec force la rentabilité et n'hésitent pas à se séparer des clients improductifs. Ils savent équilibrer leur commande et vendre les produits à haute marge. Ils utilisent toutes les données marketing et techniques nécessaires pour développer des argumentations solides et atteindre des résultats performants en recherchant l'adhésion des clients. Ils n'ont pas peur du dialogue ; ils savent aller au fond des choses et prennent en main les affaires proposées comme si c'étaient les leurs. Ils recherchent les objections, les sollicitent, font tout pour qu'elles apparaissent afin de les démonter et de s'en servir comme appui à leur argumentation. Ils organisent leur vente en stratèges et acquièrent rapidement dans leur secteur une bonne notoriété.

Les 5 styles inefficaces

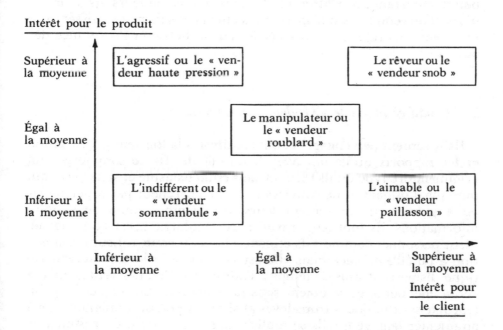

Les 5 styles inefficaces

1 - *L'agressif ou le « vendeur haute pression ».*

Ces vendeurs font des ventes « haute pression » sans se soucier réellement des besoins des clients. Ils essaient d'imposer à tout prix leurs produits et établissent avec leurs clients une véritable lutte d'influence. Ils traitent les clients avec mépris pensant souvent que ce sont des ignorants ou des « maîtres chanteurs » si leurs exigences sont plus fortes que ce qu'ils peuvent leur apporter. Dans leur argumentation, ils privilégient les caractéristiques techniques du produit en oubliant la plupart du temps d'énoncer les avantages. Ils écoutent peu, parlent beaucoup, ont réponse à tout, sont envahissants. Ils s'enferment dans des détails techniques auxquels les clients ne comprennent rien et pour lesquels ils n'ont aucun intérêt. Ce sont des hommes de parti-pris et d'idées tranchées, sûrs d'eux, sans indulgence. Ils sont centrés sur eux-mêmes, sur leurs produits et attachent peu d'importance aux attentes et aux réactions de leurs vis-à-vis. La plupart du temps, ils indisposent les clients et s'ils ne réussissent pas leur vente, ils rejettent alors l'échec sur la bêtise et l'ignorance des autres.

2 - *L'indifférent ou le « vendeur somnambule ».*

Ils se sentent peu engagés et ont routinisé à la fois leur organisation et les rapports qu'ils ont avec leurs clients. Ils se sont forgés un argumentaire type qu'ils récitent sans enthousiasme et sans vie et qui manque d'impact et de conviction. Ils ne cherchent pas à persuader ou à séduire. Ils présentent leurs arguments comme de simples informations. Ils font leur travail avec régularité mais sans engagement personnel comme s'ils étaient « hors du coup ». Leur organisation a pu être efficace mais elle est devenue à la longue bureaucratique. Ils passent plus de temps à l'administration des ventes qu'à la vente elle-même et se noient sous la paperasse. Les objectifs qu'on leur fixe sont toujours trop élevés et si on les pousse à améliorer ou à augmenter leur vente, ils se replient sur eux-mêmes. En résumé, ils font correctement leur travail mais sans goût, en privilégiant le formalisme aux résultats. Il s'agit souvent de vieux vendeurs déçus qui se sont réfugiés dans un style fonctionnaire.

3 - *L'aimable ou le « vendeur paillasson ».*

Ils ont peur du conflit et de contredire les clients. Ils ne savent pas s'affirmer et se laissent mener en bateau par ceux qui exigent d'eux des conditions spéciales qu'ils n'osent refuser. Ainsi, pour obtenir des commandes, ils font des ristournes, allongent les délais de paiement ou réclament aux services de fabrication des modifications telles que les marges sont dégradées. Leur amabilité font que les clients les manœuvrent facilement. Ils cherchent avant tout à plaire et à se faire aimer. Plutôt que de faire passer leurs arguments, ils sont amenés à adopter le point de vue des clients. Ils ont des relations amicales avec ceux-ci mais la peur de la négociation et du conflit fait qu'ils ne s'imposent pas, ne sont pas crédibles... et ne vendent pas ou à des conditions peu intéressantes pour la firme qui les emploie.

4 - *Le manipulateur ou le « vendeur roublard ».*

Avec eux on ne sait jamais à quoi s'en tenir. Leurs propositions sont peu claires et donnent l'impression d'être à la limite de la combine. Pour enlever des affaires, ils font des promesses abracadabrantes qui mettent toute l'entreprise dans l'embarras, la facturation, la comptabilité, la fabrication, etc... et qui en définitive ne peuvent être tenues, ce qui engendre, bien sûr, le mécontentement des clients. Le peu de rigueur dans les ordres passés, les conditions spéciales, le flou et les imprécisions dans les propos font que les arrangements sont troubles et que les conflits sont fréquents. Ils passent leur temps à promettre, à se contredire, à essayer d'arrondir les angles, à régler les litiges, à manipuler. Ils confondent négociation et marchandage et les affaires qu'ils enlèvent sont la plupart du temps « des moutons à cinq pattes ». Ils donnent l'impression de manœuvrer les gens et sont souvent à la limite de la franchise.

5 - *Le rêveur ou le « vendeur snob ».*

Ce sont des vendeurs brillants mais abstraits, idéalistes et irréalistes. Ils oublient les réalités du moment : quotas, objectifs, concurrence et auraient tendance à négocier sur de l'idéal. Ils sont toujours à la recherche de l'affaire ou du marché du siècle et ne s'abaissent pas à de petites ventes chez de petits clients. Ce qu'ils aiment, c'est être reçus avec panache par tout un aréopage de clients prestigieux pour élaborer des théories ou des propositions sur des affaires grandioses... qui la plupart du temps ne se réalisent jamais. Ils utilisent un langage recherché mêlant à la fois des mots tirés du langage économique international et des termes techniques abscons et sophistiqués. Ils sont théoriques, peu concrets et regardent avec beaucoup de condescendance et de dédain les clients qui recherchent du pratique, du simple, de l'utilisable sans complication.

Ils se disent être de grands spécialistes ou techniciens. Ils répugnent à se faire appeler vendeur ou représentant. Les titres qu'ils affectionnent sont : « Attaché de Direction Commerciale » ou « Délégué technico-commercial ». Ils passent beaucoup de temps en relation improductive, à établir des graphiques et à lire des études pour améliorer leur vernis et leur culture théorique. Ces vendeurs idéalistes sont soumis à de nombreuses déconvenues et développent souvent un fort sentiment de frustration.

2e PARTIE

LES 4 PRINCIPES FONDAMENTAUX

LES 4 PRINCIPES FONDAMENTAUX

Pourquoi parler de principes fondamentaux ? Parce que quel que soit le type de vendeur et de vente, il existe un certain nombre de constantes, de principes auxquels il n'est pas possible de déroger sans compromettre fortement l'issue de la négociation. Si ces principes sont respectés, à condition évidemment d'avoir les comportements et les techniques adéquates, on a de fortes probabilités d'augmenter les chances de réussite.

Ces principes ne sont pas toujours faciles à respecter. Ils vont parfois à l'encontre de notre caractère, de notre impulsivité, de notre spontanéité. Il est difficile d'avoir la maturité émotionnelle nécessaire pour garder tout son sang-froid alors que le client s'enferme dans ses a priori, qu'il accuse notre produit d'être le contraire de ce qu'il est, qu'il ment effrontément sur les propositions des concurrents pour obtenir de nous des avantages supplémentaires.

Notre conditionnement culturel et social fait que nous avons tendance à réagir avec brutalité face à l'agression, que nous sommes tentés de relever le mensonge ou de rejeter sur l'autre l'instauration d'un climat d'incompréhension ou d'opposition. Ces principes fondamentaux s'opposent à ces réactions primaires, naturelles et nous obligent à rester maîtres de la situation, à prendre du recul par rapport à la négociation, à garder présent à l'esprit que l'important n'est pas d'avoir raison face à un client ou d'être appréciés de lui, même si parfois l'une ou l'autre de ces attitudes peuvent être utiles, mais à atteindre les objectifs de vente que l'on s'était fixés.

Ces principes fondamentaux répondent à des qualités naturelles et certains vendeurs n'ont aucun effort à faire pour les mettre en œuvre. Ceux-ci ont le potentiel pour être ces « stratèges », négociateurs de haut vol. Pour les autres qui possèdent à des degrés moindres ces qualités, ce livre sera peut-être alors une sensibilisation, une prise de conscience de ce qui leur faisait défaut pour mieux réussir. Et si cette prise de conscience s'accompagnait d'une volonté de modifier leur comportement... alors ceux-là aussi peuvent espérer devenir de grands vendeurs.

Pour le moment passons en revue les 4 principes fondamentaux...

Premier principe fondamental : LE DIALOGUE

11. *Que veut dire dialoguer ?*

Le premier des principes fondamentaux pour le vendeur est que s'instaure entre le client et lui un dialogue actif, constructif, enrichissant pour l'un comme pour l'autre.

Trop de vendeurs, par excès de bonne volonté ou de peur de ne pas avoir le temps de passer toutes les informations sur leurs produits, noient le client sous un flot de paroles, affirment sans contrôler l'impact de leurs propos, argumentent sans connaître les réels besoins et motivations de son vis-à-vis, imposent leur discours sans vérifier que l'autre est peut-être d'un avis contraire.

Il ne peut y avoir de négociation sans dialogue véritable, continuel d'un bout à l'autre de l'entretien. A tout moment, il doit y avoir échange d'informations pour rechercher la solution commune qui satisfera à la fois le client et le vendeur.

Quand le vendeur présente son produit, il le fait souvent sous forme d'argumentaire récité, monologué. Que se passe-t-il alors ?

Le client est passif ; il subit plus qu'il ne participe ; il peut penser à autre chose ; il peut avoir envie de s'exprimer et frustré de ne pas avoir la parole, devenir agressif ; il peut ne pas avoir compris. Si le dialogue s'instaure, alors le client réagit, fait apparaître ses besoins, ses doutes, ses préoccupations, donne ses appréciations. Le dialogue permet d'identifier le problème du client et d'ajuster l'offre au besoin.

Les deux exemples suivants d'une vente pourtant toute simple montreront comment un monologue peut stériliser une vente, laisser le client indifférent et comment un dialogue peut permettre un échange au cours duquel une communication vraie va s'instaurer et où le client, en confiance, valorisé va s'en remettre totalement au vendeur pour l'aider à faire son choix.

Le dialogue

1ᵉʳ exemple :

Le client pénètre dans une chemiserie et demande une chemise à manches longues avec une encolure de 40.

Le vendeur : « *Je vais vous montrer d'abord les différents modèles, après nous verrons les coloris* ».

« *Vous avez là un modèle avec un petit col et des poignées mousquetaires, très à la mode, en coton 20 % et polyester 80 %. Il existe en blanc, bleu ciel et saumon. Son prix est de X... F. Vous pouvez la mettre dans une machine à laver sans précaution particulière. Vous avez aussi cet autre modèle avec un col un plus long. Elle est plus habillée et...* »

Le monologue continue et le client hésitant devant tous les modèles étalés devant lui, dit :

« *Ce n'est pas exactement ce que je voulais. Écoutez, ça ne fait rien. Je reviendrai* ».

L'issue était prévisible. Le client pénètre dans une autre chemiserie...

2ᵉ exemple :

Le client : « *Je voudrais une chemise à manches longues avec une encolure de 40.*

Le vendeur : *Je vais vous montrer cela tout de suite mais auparavant puis-je savoir si vous la préférez "sport" ou "habillée" ?*

Le client : *C'est une chemise pour tous les jours.*

Le vendeur : *Avez-vous une préférence pour une matière ? Faites-vous beaucoup de voiture ?*

Le client : *Oui, je fais beaucoup de voiture. Pourquoi me posez-vous la question ?*

Le vendeur : *Parce que si vous transpirez, les matières synthétiques sont peu recommandables.*

Le client : *Oui, mais comme je reste absent longtemps en dehors de mon domicile, je peux les laver moi-même et les faire sécher dans la nuit.*

Le vendeur : *J'ai exactement ce qu'il vous faut. Un modèle très agréable à porter, qui se lave facilement, très à la mode. Pour la couleur, aimez-vous les chemises un peu fantaisie ou votre profession vous oblige-t-elle à être strict ?*

Le client : *Je suis représentant de commerce et... »*

Voilà notre client content, sûr d'être tombé entre de bonnes mains pour le conseiller et l'aider à trouver « exactement » ce qu'il lui fallait.

Cet exemple tout simple d'une vente bien ordinaire nous montre à l'évidence l'importance du dialogue car l'être humain n'agit pas seulement en fonction d'éléments logiques mais aussi en fonction de son affectivité. Le dialogue a permis au client de voir que l'on se préoccupait de son problème et il s'est senti rassuré. Le vendeur et son produit devenaient crédibles. La vente avait de bonnes chances de réussir...

12. *Les conditions qui favorisent le dialogue.*

Il existe des clients bavards, volubiles, extravertis au verbe facile, exposant clairement leurs besoins, ouverts naturellement au dialogue. Pour ceux-là, pas de problème. La difficulté serait peut-être, pour certains, d'arrêter le flot de paroles, qui les conduit (et le vendeur avec) bien loin de l'objet de la négociation. Mais pour tous ceux qui pour des raisons diverses ne sont pas disposés *a priori* à acheter ou ne sont pas enclins à parler, que faut-il faire pour créer, favoriser et entretenir le dialogue ? Les méthodes sont nombreuses. Nous allons passer en revue les plus efficaces :

a) *Avoir la volonté de dialoguer dès les premières minutes.*

Les premiers instants d'un entretien sont souvent difficiles et les clients adoptent des attitudes parfois hostiles ou indifférentes. Que les vendeurs ne se laissent pas prendre à ce piège et ne s'enlisent pas dans un monologue d'où ils ne pourraient plus sortir ! Un bon moyen d'éviter d'être enfermé dans un bla-bla-bla à sens unique est de préparer avant l'entretien les deux ou trois questions à poser après la présentation. Questions qui auront, bien sûr, le plus de chance d'obtenir une réponse et qui ne devront pas être formulées d'une manière brutale ou indiscrète pour ne pas avoir en retour une réaction de blocage ou d'agressivité. Ces questions sont celles qui, en général, sont centrées sur le client, ses préoccupations, ses problèmes supposés ou ses centres d'intérêt.

b) *Faire parler en posant des questions de contrôle.*

La question de contrôle permet après chaque information de donner la parole à l'interlocuteur avant de passer à l'information suivante.

Exemple : « *Ce matériel permet de soulever des charges de 1 500 kg. Qu'en pensez-vous ? ou Cela vous paraît-il suffisant ? ou Est-il adapté à vos besoins ?* » etc...

Cette technique présente de nombreux avantages :

— Elle oblige le vendeur à abandonner le monologue.

— Elle permet à l'interlocuteur de donner son point de vue, son avis.

— Elle favorise la participation du client et ne le laisse pas passif.

— Elle l'engage par une prise de position.

— La réponse donnée permet au vendeur de modifier son information initiale en rajoutant des précisions ou en donnant un éclairage nouveau à une explication mal comprise.

— Le vendeur peut modifier par la suite, compte tenu de la coloration et de la nature des réponses fournies par le client, la présentation de ses renseignements et de ses arguments.

Un grand spécialiste de la vente disait un jour : « Je ne parle jamais plus d'une ou deux minutes sans poser une question de contrôle. Cette simple technique me permet toujours d'ouvrir puis d'entretenir le dialogue avec mon interlocuteur et de connaître son point de vue. J'ajuste alors mon propos de manière à lui donner l'impression que les arguments que j'avance ne sont pas de confection mais sur mesure. « A ses mesures ».

Voyons quelques exemples de questions de contrôle :

Exemple 1 : *Docteur, ce produit a une action élective au niveau des bronches. Voyez-vous beaucoup de bronchiteux en cette saison ?*

Exemple 2 : *Grâce à sa viscosité, l'usure des pièces peut être réduite de moitié. Chez vous quelle est la durée de vie de pièces semblables ?*

Exemple 3 : *Chaque radiateur est muni de son thermostat, ce qui permet de régler la température de chaque pièce. Qu'en pensez-vous ?*

c) *Écouter.*

Faire parler ne suffit pas. Il faut laisser parler le client. C'est dans ses propos que le vendeur trouvera les raisons, les mobiles, les attentes qui vont lui permettre de découvrir les arguments adéquats et qui favoriseront la relance du dialogue. Écouter veut dire aussi ne pas interrompre, laisser l'autre exprimer totalement son point de vue. Le client acceptera d'autant plus le dialogue, qu'il aura le sentiment que ce qu'il dit est important et qu'il a toute latitude pour l'exprimer calmement.

d) *Être tourné vers l'autre.*

Il n'est pas utile d'être un grand psychologue pour se rendre compte si quelqu'un est plus tourné vers lui-même que vers les autres. Si un vendeur est plus intéressé par son produit que par son client, il développera toute une série de comportements de non-communication défavorables à l'instauration et à la poursuite du dialogue. Par contre, une attitude générale d'intérêt pour autrui, d'acceptation de points de vues contraires, d'ouverture vers l'autre va favoriser un dialogue et un échange constructif. Cette attitude se manifeste par un certain nombre de moyens d'expression :

— *Le regard :* n'a-t-on pas dit que le regard est le miroir de l'âme ? Plus que les paroles, il exprime les sentiments et les intentions. Un regard franc, direct, crée la sympathie, l'intérêt et permet de gagner la confiance du client. C'est du regard que se dégage la sincérité, la franchise. Il est le meilleur moyen pour obtenir et garder l'attention de l'interlocuteur. Un regard attentif, appuyé d'un silence et d'un léger hochement de tête dit à l'autre : « Ce que vous dites est en effet intéressant. Poursuivez... » ou « Vous comprenez mon point de vue ? Et vous, qu'en pensez-vous ? »

— *Le sourire :* il adoucit le visage et le regard. Il dit à celui à qui il s'adresse : « Je ne suis pas contre vous, au contraire je suis content de vous voir. Je suis heureux de vous rendre service et je suis sûr qu'ensemble nous allons faire du bon boulot... ».

Le sourire rassure, montre à notre interlocuteur que nous ne sommes pas dans un système de conflit, dans un état d'opposition mais qu'au contraire dans l'intérêt de l'un comme de l'autre, il propose de rechercher sans arrière-pensées et dans un climat détendu les solutions les plus convenables.

— *Le visage* : Qui aurait envie de communiquer, de dialoguer face à un interlocuteur au visage fermé, tendu, les lèvres pincées, les sourcils froncés ? Un visage sympathique, détendu, reflétant une autorité calme favorise la confiance du client et l'incite naturellement à ne pas se fermer mais à dialoguer, à poser des questions, à émettre ses doutes ou ses objections.

— *Les gestes* : Des gestes brusques, saccadés, nerveux inquiètent et laissent l'interlocuteur sur la défensive. Il reste sur sa réserve, observe et n'est pas incité à participer. Les gestes, pour favoriser l'échange doivent être vrais, naturels, spontanés mais aussi au moment où l'on sent que le client est prêt à parler, plus calmes et plus mesurés.

Ces quelques conditions qui favorisent le dialogue ne sont pas les seules. A vous de trouver celles qui vous permettront de ne pas vous engluer dans une récitation ou un monologue qui au fur et à mesure qu'il se prolonge vous sépare du client.

Deuxième principe fondamental : L'EMPATHIE

21. *L'empathie, qu'est-ce que c'est ?*

C'est tout simplement de s'intéresser à l'autre. Se mettre dans sa « peau ». Essayer de comprendre, de raisonner comme lui, de percevoir ses attentes, ses besoins, ses désirs, ses préoccupations, ses motivations.

Il n'est pas possible de convaincre quelqu'un si l'on ne connaît pas les raisons pour lesquelles il pourrait être convaincu. Chaque objet a une fonction et correspond à un besoin mais chaque client a des mobiles différents pour l'acheter. Pour que le vendeur saisisse ces mobiles, il doit faire de l'empathie, c'est-à-dire comprendre exactement ce que veut l'acheteur. Comprendre, mais aussi sentir : les états d'âme, les freins, les *a priori*, les doutes qui agitent le client pendant la négociation. Comprendre, sentir mais aussi répondre aux attentes : ne pas forcer la décision alors que le client n'est pas encore prêt à acheter, répondre avec calme à l'interrogation, apaiser les craintes, montrer que la demande peut être satisfaite par l'offre, même si la solution proposée n'est pas exactement celle qui avait été initialement imaginée, revenir sur un argument mal compris, rassurer.

L'empathie c'est d'être centré sur le client. C'est vouloir aider et conseiller et non pas imposer. C'est de prendre en compte les problèmes, les marottes, les expériences, les exigences de l'autre. C'est de découvrir quels sont les véritables besoins et motivations du client, de lui en faire prendre conscience éventuellement et dans un deuxième temps d'essayer de lui prouver que le produit ou la solution proposée satisfait pleinement ses attentes.

... Petit dialogue entendu dans un cabinet médical :

— Le médecin : « *Je l'ai prescrit votre produit, depuis votre dernier passage. Ça marche pas mal... »*

— Le visiteur médical : « *Ah ! vous voyez qu'il fallait me croire ! Je vous l'avais bien dit qu'il était bon mon produit ! »*

— Le médecin : « *Oui, oui. Qu'avez-vous d'autre à me présenter ? »*

l'empathie

On ne saura jamais pour quelle maladie ce médicament a été prescrit, à quelle dose, avec quelle association. Le visiteur médical ne pourra pas utiliser ces renseignements pour la visite suivante. Il ne pourra pas donner des techniques d'emploi à d'autres médecins qui manient encore mal le produit. Il n'aura pas donné au médecin le plaisir d'exprimer dans le détail sa manière d'utiliser le médicament.

... Il aurait suffi d'un peu d'empathie, de s'intéresser à lui par une simple question plutôt que de se décerner un satisfecit.

Quels sont les attitudes et les comportements qui s'opposent à l'empathie ?

● Imposer son point de vue à tout prix sans considération des opinions de l'autre.

● Ne pas écouter les questions posées.

● Être orienté vers sa propre logique sans essayer de comprendre celle de l'autre.

● Interrompre et couper la parole.

● Avoir des attitudes de jugement critique.

● Ne pas vouloir voir ce qui intéresse l'autre.

● Vaincre, imposer, dominer.

Faire de l'empathie, écouter, s'intéresser à l'autre, ce n'est pas forcément renoncer à son point de vue. C'est mieux sentir la personnalité de notre interlocuteur. C'est se préparer ainsi à connaître les arguments auxquels il sera sensible et présenter notre produit sous un jour qui le séduira.

22. *Comment faire de l'empathie ?*

Faire de l'empathie c'est avant tout un état d'esprit. Le client ne s'y trompe pas deux fois entre celui qui écoute pour comprendre réellement et celui qui pose des questions pour le coincer ou le manipuler.

Aussi, les conseils que nous donnerons ici ne valent que dans la mesure où celui qui les appliquera le fera dans le but d'être réellement tourné vers l'autre pour le comprendre et mieux le connaître.

Comment donc faire de l'empathie ?

a) *En se renseignant sur le client.*

Plus le vendeur aura de renseignements sur le client, plus il pourra personnaliser son entretien. Pour un revendeur, quel est son potentiel, quelle est l'importance de sa clientèle, comment est-elle composée, qui achète, quels sont les concurrents, quels produits vendent-ils et dans quelle proportion, quelles sont ses habitudes d'achat, quels sont les services auxquels il est sensible, etc... ?

Pour un industriel, comment se font les circuits de décision, quelles machines utilise-t-il déjà, quels sont ses fournisseurs, à quel argument, sécurité ou économie, est-il le plus sensible, etc ?

Pour un utilisateur, à quelle fin destine-t-il le produit, quelle marque utilise-t-il ordinairement, quelles sont ses motivations, etc... ?

Mais comment faire cette recherche ?

— *En se renseignant autour de lui.*

• Par le relevé dans la presse spécialisée de toutes informations relatives à l'activité de son interlocuteur, et de ses concurrents.

• Par la recherche, auprès de spécialistes, d'ordres de grandeur des chiffres permettant d'aborder chaque sujet avec davantage de précision.

• Par le recueil de situations analogues chez d'autres clients.

• Par l'interrogation directe de l'entourage sur les activités du client avec qui l'on veut négocier.

• Par des visites consécutives dans plusieurs entreprises du même type.

• Par l'observation « sur le tas » et par demandes d'informations auprès des hommes de métier.

— *En l'interrogeant directement.*

Connaître son interlocuteur, détecter ses attentes, saisir les éléments dominants de sa personnalité, préalable nécessaire au développement de l'argumentation, nécessite de la part du vendeur une parfaite maîtrise des techniques de dialogue et une attention réelle aux propos de son interlocuteur.

Mais quels que soient les moyens utilisés, il faut de la perspicacité et de la prudence pour faire parler sans importuner. Nous verrons dans un autre chapitre l'art de poser les questions pour découvrir les besoins du client mais nous pouvons d'ores et déjà avancer quelques moyens qui devraient, à condition de ne pas être énoncés de n'importe quelle manière, ni à n'importe quel moment, nous aider à recueillir l'information nécessaire :

— Toutes les questions font parler. C'est le moyen le plus sûr. Retenons déjà la question alternative qui amorce la réponse et qui posée au bon moment devrait amener l'interlocuteur à s'exprimer naturellement et à donner l'information utile.

« Vous en revendez tous les mois, 200 ou 250 ? » donnera plus de chances d'avoir une réponse que formulée ainsi : *« Combien en vendez-vous tous les mois ? »*.

Autre façon de faire, la *question en reprise* qui répète sur un ton interrogatif le dernier mot ou la proposition importante de ce que vient de dire l'interlocuteur.

« Jusqu'à 300 par mois ? » reprend le vendeur.

« Oui, confirme son interlocuteur, *mais pour en arriver là, j'ai mis un gros présentoir à demeure et je fais pas mal d'animation dans mon magasin tous les samedis. »*

La fourchette permet également d'avoir un chiffre alors que la question posée brutalement n'aurait provoqué qu'une dérobade du client.

— *Pour les 50 kg vous en faites plus de 100 ?*

— *Oui, bien sûr.*

— *Moins de 200, quand même ?*

— *Oh, pas loin. Je dois tourner à 170-180 ».*

Autre manière douce d'obtenir des renseignements est de se faire le rapporteur d'informations données par d'autres clients :

— *« On dit généralement que pour en vendre cette quantité, il faut une surface de stockage de plus de 100 m² ».*

— « *J'ai moitié moins que cela ! Mais je ne travaille qu'avec un seul fournisseur qui me livre deux à trois fois par mois* ».

Enfin, prêcher le faux pour savoir le vrai peut être parfois un bon moyen d'obtenir le renseignement utile que le client ne dit pas.

— « *Vous m'aviez bien dit la dernière fois que vous en consommiez 2 tonnes tous les mois ?* »

— « *2 tonnes ! Vous plaisantez. Je n'ai jamais dit cela. 2 tonnes ! J'aimerai bien. Si j'en consomme une, c'est bien le maximum !* »

— **En observant.**

Regarder est une opération physique. Observer est une opération mentale. Observer, veut dire que le regard du vendeur ne va pas être neutre mais qu'il devra chercher les informations qui vont le renseigner sur l'activité de son client ou sur le client lui-même, qui vont le rendre plus familier, qui vont lui permettre de mieux comprendre ce dont il a besoin.

• *Observer son environnement :* ses ateliers, son bureau ou son magasin.

Un représentant disait un jour : « *Je ne veux négocier que dans le bureau de mon client. Un coup d'œil sur son bureau m'en dit plus que de longs discours. Une moquette épaisse, une ambiance feutrée, pas un papier sur sa table, des étagères bien rangées... je sais alors que je dois être clair, précis, avoir une argumentation structurée, donner des preuves fortes, refréner mon enthousiasme parfois un peu débordant. Par contre, si la table est encombrée de dossiers, si sur les murs sont épinglés de multiples schémas et dessins, si la pièce est ouverte à tous vents et que chacun peut y entrer ou sortir à son aise, alors ma présentation sera différente, probablement plus créative, plus spontanée et peut-être aussi plus technique* ».

Le propos de ce représentant était peut-être excessif. Il est difficile de tirer des conclusions définitives sur la seule vue d'un bureau ou d'un client. A l'inverse, combien de vendeurs se sont mordus les doigts pour ne pas avoir su observer et utiliser dans leur argumentation des informations qui les auraient aidés à conclure efficacement.

• *Observer ses mimiques et contrôler sur son visage l'impact des arguments émis.*

Fronce-t-il les sourcils ? Peut-être n'est-il pas d'accord ou n'a-t-il pas compris ? Il semble tout d'un coup pensif. Fait-il mentalement un calcul ou a-t-il décroché ? Il pianote la table de ses doigts. Le voilà impatient ou agacé.

Le client émet des signaux en permanence. Tout ce qui l'entoure, tout ce qu'il fait, tout ce qu'il dit n'est pas gratuit. Au vendeur d'observer, de noter, d'engranger ces signaux, ces informations pour mieux saisir et comprendre son client.

b) *En lui parlant de lui.*

Tout homme aime à parler de ce qui lui est propre. Marcel Pagnol disait : « Il y a les raseurs... qui parlent d'eux ; les bavards... qui parlent des autres ; et les intelligents... qui vous parlent de vous ».

Imaginez que vous soyez acheteur et qu'en face de vous, vous ayez un vendeur qui parle, qui parle, qui parle... de lui, de son produit, de ses caractéristiques techniques exceptionnelles mais qu'à aucun moment vous ne l'ayez senti tourné vers vous, vers votre problème, vers vos attentes. Vous aurez probablement le sentiment d'avoir affaire à quelqu'un plus préoccupé de vendre que de vous voir acheter. Le vendeur ne peut oublier qu'à vouloir trop vendre on risque fort d'empêcher d'acheter et que l'objectif n'est pas de vendre mais de faire acheter. Si vendre et acheter sont des termes désignant la même opération commerciale, il n'en est pas moins vrai qu'ils en présentent deux faces différentes.

Et quelle est la meilleure manière d'être tourné vers l'autre que de s'intéresser à lui, de lui parler de lui ?

Une méthode bien simple : remplacez le « je » par le « vous » chaque fois que cela est possible et cela est possible beaucoup plus souvent qu'on ne le pense.

— *Ainsi « Comment trouvez-vous ce modèle ? Ne pensez-vous pas qu'il plaira sûrement à votre clientèle jeune ? » vaut mieux que « Personnellement ce modèle me plaît beaucoup. Il a été conçu spécialement pour la clientèle jeune ».*

— *« Vous savez certainement qu'à 1 200 tours/minute, un fort échauffement commence à se produire et... » est plus valorisant pour le client que « Je vous rappelle qu'à 1 200 tours/minute... »*

— « *Je vous signale que sa rapidité d'action est exceptionnelle puisqu'il agit au bout d'une heure seulement* » *n'a pas la même valeur que de dire au client* « *Je suis persuadé que vous êtes sensible à la rapidité d'action d'un tel type de produit, or celle-ci est exceptionnelle puisqu'elle agit au bout d'une heure seulement...* »

Habituez-vous à dire :

— « *Vous vous demandez comment cela fonctionne ?* » *ou mieux* « *Vous savez sûrement comment cela fonctionne, permettez-moi de vous le rappeler...* » *plutôt que :* « *Je vais vous montrer comment cela fonctionne* ».

— « *Qu'en pensez-vous ?* » *plutôt que* « *à mon avis* ».

— « *Vous serez sûrement intéressé par cette modification qui vous touche au plus haut point puisque...* » *plutôt que* « *Nous avons fait une modification qui est au plus haut point intéressante puisque...* »

Nous pourrions multiplier les exemples à l'infini. Rappelez-vous votre dernière négociation. Combien de fois avez-vous dit « Je » ? Combien de fois avez-vous dit « vous » ? N'était-il pas possible quelquefois de remplacer le « je » par le « vous » ?

c) *En pratiquant l'inversion des rôles.*

Commençons, pour expliquer ce concept, par un exemple.

Et d'abord un exemple de ce qu'il ne faut pas faire.

— Le Chef d'Entretien : « *J'ai utilisé votre produit pour le nettoyage de mes cuves, il n'y a pas plus de 20 jours* ».

— Le vendeur (qui ne sait pas s'il continue à l'utiliser ou s'il l'a abandonné et pour quelles raisons) : « *Ah bien ! vous savez donc qu'il contient un tiers de tensio-actifs anioniques, vingt pour cent de silicates, trente-cinq pour cent de phosphates et...* »

— Le Chef d'Entretien : « *Oui, oui, oui, je sais tout cela. Mais si c'est pour une commande adressez-vous plutôt au responsable d'atelier...* »

Si notre vendeur avait connu le principe d'inversion des rôles, il aurait pu *faire faire l'argumentation* par le chef d'entretien (plutôt que de stopper la discussion sur le produit) par des questions de ce type :

L'inversion des rôles

— « *Ah ! vraiment c'est très intéressant. Pouvez-vous me dire alors dans quel cas vous l'avez trouvé le plus efficace, lors du rinçage ou dès le premier lavage ?* »

— « *A quel dosage l'avez-vous dilué ?* »

— « *Que me conseillez-vous pour le faire utiliser par d'autres qui le manient encore mal ?* » *etc...*

Vous avez compris, je suppose, le principe d'inversion des rôles qui est de faire faire l'argumentation par notre interlocuteur chaque fois que c'est possible. La portée des arguments énoncés par le client ont plus de poids que ceux énoncés par le vendeur. En les lui faisant dire, le client donne plus de force à l'idée que le vendeur voulait suggérer.

Quand pratiquer l'inversion des rôles.

● Chaque fois que *l'expérience* du client peut être *un élément favorable* à l'argumentation du vendeur. Dans l'exemple suivant le vendeur fait relater des expériences malheureuses pour démontrer que sa solution ne comporte pas de tels ennuis :

— Le vendeur : « *Vous est-il arrivé de monter vous-même une installation de ce type ?* »

— Le client : « *Ne m'en parlez pas !* »

— Le vendeur : « *Que s'est-il passé ?* »

— Le client : « *Je préfère ne plus en parler. Une vraie catastrophe. J'y ai passé deux jours et le résultat n'était pas beau à voir* ».

— Le vendeur : « *C'est justement pour vous éviter ces ennuis que nous nous chargeons de tout le montage et de l'installation* ».

● Chaque fois que l'on veut *valoriser le client* et en faire un spécialiste de la question :

— Le vendeur : « *Savez-vous pourquoi il faut agir sur cette tirette et quelles sont les raisons de ces graduations ?* »

— Le client : « *En agissant sur la tirette on va introduire du mélange dans le circuit et les graduations vont permettte de connaître la quantité d'air nécessaire. C'est bien cela ?* »

— Le vendeur : « *Absolument. Et que pensez-vous de ce système, tout compte fait assez simple, pour régler la quantité d'air à injecter ?* »

— Le client : « *C'est une excellente idée et qui n'existe pas chez vos concurrents, je crois* ».

Le client a été valorisé et le vendeur a eu l'habileté de lui laisser faire l'argumentation. Elle n'en a eu que plus de poids.

• Chaque fois que l'on veut donner *de la force à un argument* qui n'est pas majeur. Si c'est le vendeur qui l'avance, le client a tendance à le minimiser ou à ne pas en tenir compte, par contre s'il est dit par le client, il prend alors une force bien supérieure à sa valeur réelle.

Ainsi, si le vendeur dit :

« *Et je vous signale en plus qu'elle a un séchage exceptionnel puisqu'elle agit en 20 minutes seulement* ». Le client risque d'être moyennement intéressé. Il ne se rend pas bien compte des avantages que peut lui procurer un séchage de cette durée. On lui aurait dit 15 minutes ou 40 minutes qu'il n'aurait pas fait la différence.

Par contre, si le vendeur dit :

— « *Est-ce que le séchage est un élément important pour vous, Monsieur ?*

— *Bien sûr ! Très important !*

— *Et pourquoi donc ?*

— *Et bien, parce que...* » Et le client énonce tous les avantages qu'il voit à un séchage rapide. Ce faisant, il en prend lui-même conscience et se convainc peu à peu que la rapidité de séchage est une qualité primordiale.

Le vendeur n'a plus qu'à ajouter :

— « *Vous savez qu'en général le temps de séchage est voisin de 45 minutes. Nous avons réussi à le descendre à 20 minutes. Qu'en pensez-vous ?* »

• *En fin d'entretien* sous forme de synthèse pour que le client s'imprègne lui-même une dernière fois des points forts ou des avantages de l'offre.

— Le vendeur : « *Vous venez de voir comment fonctionne cet appareil. Voulez-vous que nous récapitulions ensemble les avantages qui vous paraissent les plus intéressants ?* » Silence du vendeur pour inciter le client à faire lui-même cette énumération.

— Le client : « *Il est léger. C'est pour moi une qualité importante car j'ai souvent à me déplacer et je n'aime pas avoir des paquets trop encombrants ou lourds. Ensuite il est simple, ce qui a priori me fait penser qu'il ne tombera pas souvent en panne. Et puis il...* »

Tout en parlant, le client personnalise les arguments, les projette dans sa pratique quotidienne, se les vend à lui-même et renforce ainsi sa conviction.

L'inversion des rôles est un moyen pratique de donner du poids à nos arguments en les faisant énoncer par les autres. Rappelez-vous ce que disait Joubert : « *On peut essayer de convaincre les hommes par ses propres raisons, on ne les persuade que par les leurs* ».

Enfin, souvenons-nous, pour clore ce chapitre sur l'empathie, que plus nous personnaliserons nos entretiens, plus le client sera au centre de la vente, plus nos arguments viendront en réponse à ses attentes, et plus nous aurons de chances d'être crédibles à ses yeux. Il aura le sentiment d'acheter ce qu'il désirait réellement et non pas ce que nous voulions vendre à tout prix. Et quand on sait que tout est dans la nuance...

Troisième principe fondamental :
CRÉER UN CLIMAT DE CONFIANCE

31. *Un climat de confiance, pour quoi faire ?*

Combien de fois en tant qu'acheteur avez-vous regretté de ne pas avoir effectué l'achat dont vous aviez envie ? Le produit était là, séduisant, tel que vous l'aviez désiré. Vous avez réfléchi, hésité et puis vous vous êtes dit que rien ne vous pressait ou que, peut-être, vous trouverez mieux ailleurs. Alors vous êtes parti... regrettant presque aussitôt de ne pas l'avoir acheté.

A l'inverse, combien de fois avez-vous acheté alors que rien ne vous préparait à cet achat et que vous deveniez, en deux temps et trois mouvements, propriétaire de quelque chose dont vous n'aviez pas besoin. N'imaginez pas qu'il ne s'agit que de gadgets. Les vendeurs immobiliers vous diront combien de personnes se sont trouvées propriétaires (et parfois endettées jusqu'au cou) pour avoir voulu accompagner l'ami qui voulait acheter... et qui n'a pas acheté.

Dans un cas comme dans l'autre, que s'est-il passé ? Un climat. Une ambiance. Un contact. Un vendeur sympathique, compétent, ouvert, enthousiaste... et vous voilà mis en confiance : la décision est prise, autant acheter chez lui.

Là, le vendeur ergote, discute. Il emploie des adverbes ampoulés, des superlatifs. Il dénigre les concurrents. Non, décidément, la décision n'est pas pour aujourd'hui. La réflexion s'impose.

Depuis longtemps l'on sait que les arguments rationnels ne sont pas les seuls mobiles de l'achat. Comment se fait-il, dans ces conditions, que tant de vendeurs négligent cet aspect psychologique de la vente et font tant d'efforts pour maîtriser les connaissances techniques du produit et si peu pour se préoccuper de la forme ?

Aucune vente ne pourra se réaliser s'il n'existe pas entre l'acheteur et le vendeur une certaine complicité, un climat de confiance et de crédibilité. Cette ambiance, ce contact, cette relation sont le fait du vendeur, et de lui seul. C'est à lui de *transformer la méfiance naturelle du client en une confiance basée sur des qualités reconnues d'expert, de spécialiste et de conseiller.*

La bonne mine du vendeur ne suffit pas à créer ce climat de confiance. Il lui faut respecter quelques règles précises dont on trouvera la liste ci-après.

32. *Comment créer un climat de confiance ?*

Le climat de confiance, préalable indispensable à toute transaction et à toute relation durable n'est pas un état spontané, né du hasard. Il se gagne et s'enrichit tout au long de la vente. Le client bien souvent échaudé est en droit de douter des affirmations parfois mirobolantes des vendeurs, de craindre les promesses si peu souvent tenues, de se méfier de sa propre subjectivité.

Tout achat est source d'angoisse et d'inquiétude. C'est au vendeur d'instaurer ce climat de confiance et de rassurer le client.

Voyons ensemble les quelques conditions qui vont créer et développer ce climat de confiance sans lequel aucune négociation n'est possible.

a) *Avoir confiance en soi, en son entreprise, en ses produits.*

— Commençons par la confiance en soi. Comment voulez-vous qu'un vendeur enlève la conviction de son client si lui-même est hésitant, inquiet, peu sûr de lui ? Comment peut-il décrocher une affaire si tout au long de la négociation il a le sentiment qu'il va échouer ? Un vendeur pour réussir doit croire en ses capacités et la confiance en soi vient des succès réalisés.

Tiédeur, indifférence, manque de conviction personnelle dans un métier où l'on doit lever les doutes et peser de tout son poids pour faire tomber les dernières hésitations sont sûrement des comportements à bannir si l'on veut avoir une quelconque chance d'obtenir une affaire. Dites-vous bien que la plupart des clients ne s'intéressent nullement à votre offre. Votre travail ne consiste pas seulement à les informer, mais à les intéresser. Il est normal dans ces conditions qu'ils résistent à ce que vous leur proposez, qu'ils déclarent que votre offre ne les intéresse pas ou qu'elle ne correspond pas à ce qu'ils en attendent.

Vendre signifie faire naître un besoin qui n'existait pas, en développer un qui n'était pas suffisamment exprimé, ou seulement éveiller l'intérêt. Ceci exige de la part du vendeur un réel enthousiasme et une grande confiance en soi pour pouvoir influencer quelqu'un qui au départ est prudent ou tout simplement indifférent. Le vendeur doit être persuadé qu'il n'est pas un solliciteur.

— Confiance en son entreprise et en ses produits : bien sûr, les produits de la concurrence sont toujours les meilleurs et surtout les moins chers. Du moins à en croire les clients. Et il faut une bonne dose de résistance et d'incrédulité (fort heureusement) de la part des vendeurs pour ne pas subir les effets de cette entreprise de démolition qui s'appelle la clientèle.

Savoir défendre ses produits ou son entreprise coûte que coûte, est perçu très favorablement par le client. Quelle estime voulez-vous avoir pour le vendeur qui dirait : « Je ne sais pas ce qu'ils font actuellement à l'usine, ils ne sortent que de la camelote. Et quand ils envoient une pièce correcte, la plupart du temps ils se trompent de référence ». Si le vendeur veut être le partenaire respecté par le client, il doit se conduire comme un professionnel confiant, sûr de lui et de la société qu'il représente.

b) *Être ferme.*

Une concession trop rapidement faite inquiète le client. Une remise de prix exceptionnelle peut engendrer sa méfiance. « Si j'avais été plus dur la dernière fois, j'aurai déjà pu bénéficier de cet avantage. Et peut-être fait-il des remises plus importantes encore à d'autres clients » se dit-il.

La fermeté n'est pas un acte anti-commercial. Bien au contraire, il est rassurant pour un client de savoir qu'il n'y a pas de passe-droits, de combines, de mesures spéciales bénéficiant à certains et pas aux autres.

La permissivité, le « soyons commercial », l'indulgence vis-à-vis de ce « bon-vieux-cher-client-avec-qui-on-travaille-depuis-tant-

Être ferme

d'années » est plus préjudiciable au vendeur et à l'entreprise qu'une certaine fermeté courtoise :

— L'escalade à la remise ou à la petite attention spéciale est toujours dangereuse. A la longue, elle devient un dû. Elle doit croître sans arrêt et le jour où pour une raison quelconque il faut cesser, elle est alors le motif de la rupture.

— Les remises trop facilement accordées sous la pression du chantage (bien sûr que les clients sont des maîtres-chanteurs !) dégradent les marges, et les petites attentions spéciales, comme un échantillonnage gratuit dans un coli standard, désorganisent les services de distribution par des opérations anormales.

Psychologiquement la fermeté est payante. Il est évident qu'une intransigeance de mauvais aloi risquerait d'être contreproduisante. Certaines concessions peuvent se faire, parfois, exceptionnellement, pour un nouveau client ou chez un client ancien qui ferait un effort spécial au moment d'une promotion, et ne doivent porter que sur les conditions de paiement tout en appréciant l'incidence sur la trésorerie de l'entreprise.

Vous allez me dire : « C'est une attitude un peu rigide. Il y a tous les cas particuliers où une concession s'impose ». Soit ! Considérons-les alors comme des cas particuliers et soyons d'accord sur la règle générale : une fois que tout a été défini, que l'accord a été pris n'en démordons pas. Soyons fermes. Et croyez bien que ce n'est pas parce que vous avez cédé cette fois-ci que le client vous en sera reconnaissant et qu'il vous accordera l'affaire suivante.

Cette fermeté peut se justifier ainsi :

« *D'une part, nos prix sont calculés au plus juste et vous permettent de bénéficier d'une qualité maximum. Vous faire une concession voudrait dire que nos offres sont faites à la tête du client, ce qui serait profondément injuste et anticommercial. Chez nous, il n'y a pas deux poids, deux mesures. Vous avez la garantie de ne jamais être lésé. D'autre part, si nous vous accordions une concession tout à fait spéciale vous seriez en quelque sorte notre débiteur et vous ne seriez plus libre pour contester et réclamer si par hasard un jour vous aviez des griefs à nous faire. N'est-il pas mieux qu'il en soit ainsi ? »*

c) **Savoir dire non.**

Le client peut avoir les yeux plus gros que le ventre et vouloir, s'il est revendeur, des produits qu'il ne pourrait revendre ou s'il est industriel, une installation supérieure à ses besoins. Le vendeur doit avoir le courage de refuser et d'expliquer au client, sans l'offusquer, l'erreur qu'il allait commettre. Le client sera reconnaissant, à jamais, à celui qui aura su ne pas être seulement un « vendeur » mais aussi un « conseiller ». La difficulté réside dans le fait que cette attitude honnête risque d'être une arme à double tranchant. D'un côté il saura gré au vendeur de ne pas lui avoir vendu au-dessus de ses possibilités, d'autre part il pourra être vexé d'être considéré comme un « gourmand » ou pire comme un incompétent.

Les exemples suivants prouvent avec quelle prudence il est nécessaire de manier le refus.

1er exemple :

— Le client : « *Cette promotion m'intéresse. De plus, je veux développer ce rayon « soin de la peau ». Mettez-moi 500 tubes de ce lait solaire et 1 000 crèmes bronzantes* ».

— Le vendeur : « *Bravo pour votre sens des affaires. C'est effectivement un marché qui se développe très fort et nous sommes actuellement en pleine saison. Cela devrait partir comme des petits pains, d'autant plus que vous avez une clientèle qui vous suit et que vous pouvez conseiller. Ce qui m'ennuie un petit peu c'est que nous sommes fin juin et qu'une bonne partie des achats a déjà été faite. Le mieux est que je maintienne votre commande mais que je ne vous livre que 150 tubes de lait et 300 crèmes bronzantes.*

Je vous appellerai dans 15 jours pour que l'on voit les sorties. Si le temps n'a pas été favorable et que vos ventes ne sont pas à la mesure de vos espoirs malgré vos efforts, nous en resterons là. Si par contre vous sentez que cela part selon vos prévisions, je vous ferai livrer le complément. N'est-ce pas mieux ainsi ? »

Si le vendeur, fier de sa commande, avait livré la totalité, il y aurait eu fort à parier que le client se serait trouvé à la fin de l'été avec la presque totalité de son stock. Et qui croyez-vous que le client aurait accusé de ce stock d'invendu : lui-même ou le vendeur ?

Voyons un autre exemple dans le domaine industriel :

— Le client : « *Compte tenu de mon développement, je risque d'être rapidement à court avec votre TXR2. Ce qu'il me faut c'est la TXR3 - 20 000. En passant l'ordre maintenant, dans combien de temps peut-elle être installée ?* »

— Le vendeur : « *Le temps de la commander nous-mêmes en Angleterre et de la faire venir. Cela ne devrait pas dépasser 3 mois. Vous me parliez tout à l'heure de votre développement commercial. Quelles sont vos prévisions annuelles ?* »

— Le client : « *18 % par an en moyenne* ».

— Le vendeur : « *Vous allez doubler votre production dans les 5 ans qui viennent. Donc la TXR2 pourrait être suffisante en gardant l'ancienne machine pour les à-coups de production. Dans 5 ans, elle sera amortie et vous pourrez alors prendre quelque chose de supérieur à la TXR3-20 000. De plus, les technologies auront évolué et vous aurez un matériel plus adapté aux nécessités futures. J'ai peur qu'avec une TXR3-20 000 qui ne serait utilisée qu'à temps partiel pendant tant d'années vous n'augmentiez considérablement les coûts de production. Croyez-moi la TXR2 est amplement suffisante pour les 4 à 5 années à venir. Voulez-vous malgré tout que nous faisions une étude sérieuse de faisabilité ? Cela vous aidera à faire le " bon choix " !* »

d) *Respecter la parole donnée.*

Les bonnes réputations mettent des années à s'établir. On s'étonne souvent de voir ces sociétés « créées en 1880 » continuer à vendre avec des pratiques commerciales archaïques et rigides. Qu'ont-elles comme vertu pour pouvoir séduire tant de clients ? Le respect de la parole donnée. La crédibilité d'un vendeur passe par la tenue de ses engagements. Quoi de plus désagréable pour un client que de voir des délais de livraison non respectés qui bouleversent tout son planning de fabrication, de ne pas recevoir le document promis qui devait arriver avant la réunion technique ou de s'apercevoir sur la facture que la remise avancée par le représentant n'a pas été effectuée ?

Un entrepreneur me disait un jour :

— « *Vous voyez ce représentant qui sort de mon bureau. Il me propose des baignoires en acier émaillées techniquement très au point et parfaites du point de vue qualité. Elles valent 30 % moins cher que celles que je paie ordinairement. Je dois équiper 600 logements. Et bien, je viens·de refuser son offre* ».

— « *Quelles raisons vous poussent à refuser une offre si alléchante ?* »

— « *Mes coûts de main d'œuvre sont ce qu'il y a de plus important dans mes prix de revient. Or, si je fais livrer 50 baignoires à telle date, il faut que les 50 baignoires soient sur le chantier le jour voulu. Car j'ai convoqué les plombiers pour les installer, mais aussi les carreleurs et les platriers qui ne peuvent recouvrir les murs de la salle de bain qu'une fois les baignoires installées. Chaque jour de retard m'oblige à payer pour rien des sommes considérables* ».

— « *C'est le risque avec tout fournisseur. Pourquoi ne pas croire ce représentant s'il dit qu'il tiendra les délais de livraison ?* »

— « *Il m'avait promis une brochure. Je l'ai eu 15 jours après, à la suite de 3 appels de ma part à son bureau. Aujourd'hui, il devait m'apporter un schéma de montage. Il ne l'avait pas sur lui. Il me l'enverra, dit-il. Croyez-vous que je puisse faire confiance à quelqu'un qui avant la commande tient si peu ses promesses ? Qu'en sera-t-il le jour où il aura la commande ? Je garde mon vieux fournisseur. Il n'est pas souple. Il n'est pas agréable. Ses prix sont élevés mais il est solide et sérieux et il a toujours respecté sa parole.* »

On est stupéfié de constater comme certains vendeurs sont parfois irréalistes ou candides. « Comment, disent-ils, j'ai un produit exceptionnel, à des prix défiant toute concurrence et les clients hésitent, rechignent, ergotent. » Et oui, Messieurs. C'est peut-être oublier qu'avant de vendre son produit, il faut vendre sa crédibilité et celle de son entreprise.

Un représentant astucieux disait : « Je sais qu'avant de faire des affaires avec un nouveau client, il faut que je vende mon sérieux et pour cela, il faut que le client me teste. Aussi, je multiplie les occasions de prouver que je tiens mes promesses. Au cours des entretiens préalables, je promets d'envoyer des brochures, des échantillons, des preuves d'essai, des articles de presse technique, etc... et je tiens mes promesses. Ça ne me permet pas d'enlever, bien sûr, toutes les affaires. Ça me permet de gagner des points ».

e) *Connaître le langage client.*

Avez-vous déjà essayé d'acheter une chaîne Haute Fidélité sans être un spécialiste de la Hi-Fi ? Ou un appareil photographique un peu sophistiqué ? Avez-vous compris quelque chose aux paroles du vendeur ? Bravo ! Vous êtes probablement tombé sur le seul qui ne se gargarisait pas « d'impédance, de Dolby et d'alternation ».

La chose eut été différente si vous aviez été un spécialiste. Et c'est cela qui importe : Avoir le langage de son client.

Si votre client ne connaît pas votre jargon vous ne ferez que compliquer votre offre par un langage ésotérique dont il se sentira exclu et au lieu de créer cette fameuse communication qui devrait vous rapprocher, vous ne ferez que l'éloigner et compromettre une vente qui aurait été probablement facile à réaliser si les mots et les explications avaient été à sa portée.

Il est vrai que c'est un élément constant de notre époque que de vouloir compliquer ce qui est simple. Rappelons-nous la devise des Shadocks : « *Pourquoi faire les choses simplement quand on peut les compliquer* » qui trouve son application dès l'école primaire avec les histoires de baignoires qui se vident et de robinets qui coulent. On ne peut pas dire que les contrats d'assurance vie, de vente ou d'achat d'un bien immobilier ou qu'une « grosse » du tribunal soient, par la suite, des modèles de simplicité !

Compliquer fait peut-être bon chic — bon genre. Pas dans la vente... sauf peut-être, et à cette seule condition, en face de spécialistes maîtrisant un langage qui leur est propre. On verrait mal un visiteur médical expliquant l'action antiathéromateuse de son produit à un médecin et disant « *Il agit sur les petits paquets de graisse qui obstruent les artères...* » ou l'ingénieur technico-commercial s'adressant à un chef de fabrication : « *Cette huile est étudiée pour. Elle fait en sorte que cette espèce de bâton métallique qui monte et qui descend dans son logement ne frotte pas et...* » Bien sûr, cela est caricatural. Personne n'oserait parler ainsi face à un spécialiste.

Connaître le langage du client veut donc dire qu'il faut adapter ses propos en fonction du niveau de compréhension de notre interlocuteur. Ce n'est pas chose aisée. Autant il n'est pas toujours facile d'expliquer simplement ce qui est ardu et compliqué autant il est parfois difficile de se faire reconnaître comme compétent par le spécialiste d'une branche d'industrie.

Dans ce dernier cas, il est important que le technico-commercial se constitue le stock des trente à cinquante mots et chiffres propres à son activité, de dix à vingt noms de constructeurs et types de matériel les plus couramment en service. C'est sur des exemples précis, des résultats d'application chiffrés, semblables aux problèmes soulevés par son interlocuteur ou comparables que le technico-commercial en les lui présentant, en les lui commentant, devient crédible aux yeux de son interlocuteur. Cette reconnaissance progressive de sa compétence ne se travaille pas dans le flou à partir de vagues opinions, mais sur du concret, sur des faits, des chiffres, des mots dans le langage du client qui le feront reconnaître, lui-même, comme un expert et un conseiller.

Et pour terminer ce paragraphe : 3 aphorismes qui en disent plus sur ce sujet que de longs discours :

— *« C'est pour se faire entendre de son interlocuteur que l'on parle, non pour se faire plaisir à soi-même »* (P. Lavaud).

— *« L'important n'est pas ce que je dis mais ce que tu retiens ».*

— *« On entend ce que l'on attend »* (J. Fourastier).

33. *Ces expressions qui détruisent un climat...*

Esope disait que « la langue est la meilleure et la pire des choses ». Elle nous permet, comme nous l'avons vu dans le chapitre précédent, de savoir nous montrer crédibles. Elle nous joue aussi parfois de sacrés tours. Et puisque nous avons commencé ce paragraphe par une référence à l'antiquité, restons-y avec Mercure qui, dit-on, était le dieu des voleurs... et des commerçants. Voilà le drame et l'indigne suspicion : qui dit vendeur dit voleur et menteur. Et dès que vous vous présentez face à un client, ne pense-t-il pas aussitôt : « Ce conseil qu'il me donne... va-t-il dans le sens de mon intérêt bien compris ou n'est-ce pour lui qu'un moyen parmi d'autres de faire du chiffre, de prendre une commande » ?

Par ailleurs, dire d'un concurrent : « C'est un habile commerçant » c'est, à coup sûr, provoquer chez notre interlocuteur une réaction de méfiance vis-à-vis de ce concurrent. Une manière bien habile de le discréditer sans en dire du mal !

Soyons vigilants dans nos paroles et méfions-nous de ces mots qui, s'ils ne sont pas analysés, disséqués rationnellement par le client, sont pourtant ressentis négativement et finissent à la longue par détruire notre crédibilité... et ce fameux climat de confiance.

Quels sont alors ces mots « destructifs » ?

> *Les mots qui engendrent la méfiance.*

Tels ceux qui **Soulignent** et **Renforcent** l'aspect trop commercial de notre démarche :

— Les **Quotas** qui nous sont imposés, à nous **Vendeurs.**

— Vous savez, moi, je ne suis pas **Technicien,** je ne suis qu'un **Commercial.**

— En faisant ma **Tournée** j'ai constaté que vous n'étiez pas sur mon **Fichier.**

— Nous venons vous faire nos **Offres de Service** et voir si vous n'avez besoin de rien.

— Je peux vous **Faire un prix.**

— J'aimerais bien vous faire cette **Remise** et ne pas **Louper une vente,** mais franchement je ne peux pas.

Telles les opinions vagues en termes flous qui **Dévalorisent** notre action :

— Monsieur Untel nous a récemment exprimé sa **Totale Satisfaction.** Il utilise nos produits, depuis un **Certain** temps déjà sans avoir jamais eu le **Moindre ennui.**

— Les économies qu'il a réalisées ne sont pas **Négligeables.**

— Il a noté une **Sensible** amélioration.

— Le coût **Relativement** peu élevé, de ce matériel permet un investissement dans un temps plutôt court et vous réaliserez par la suite de **Substantielles** économies.

— Le produit se révèle **Fiable :** c'est ce qu'en disent **La plupart** de nos clients.

Tels ces appels à la confiance qui vont à l'**Encontre** du but recherché :

— **Croyez-moi,** vous ne **Regretterez** pas cette décision.

— **Honnêtement,** je vous l'assure, vous **Faites une affaire.**

— **Faites-moi confiance.**

— **Sincèrement,** Monsieur Untel, cette proposition est très **Honnête.**

LES MOTS QUI ENGENDRENT LA MEFIANCE:

> *Et je peux vous assurer que cette roue ne tombe jamais en panne. Elle est parfaitement ronde! Ma parole d'honneur! Vous me croyez, hein, si je vous dis que les pépins sont assez rares?*

LES MOTS QUI ENGENDRENT LE DOUTE:

> *Ne pensez-vous pas que Vous pourriez faire un petit essai pour vous rendre compte qu'avec elle on n'a jamais de gros problèmes?*

LES MOTS QUI FONT NAITRE L'AGRESSIVITE :

> *D'ailleurs, en lisant les instructions vous n'aurez pas de problème. Le dernier des imbéciles peut s'en sortir. Et si malgré tout, vous ne comprenez rien, passez-moi un coup de fil. J'essaierai de vous expliquer.*

> *Les mots qui font naître le doute.*

Ce sont tous ceux à charge **Négative** (leur préférer ceux à charge **Positive**), les **Conditionnels** (parler au **Présent**), les **Adverbes** (présenter plutôt des **Faits,** des **Chiffres**), les termes d'**Intention** (leur préférer les termes d'**Action**), les **Interro-négatives** (qui appellent des réactions négatives).

Ne dites pas	*Dites plutôt*
— Pas de PROBLÈME particulier au sujet de notre dernière proposition ?	— Vous avez reçu notre proposition. Quel est le point qui a plus particulièrement retenu votre attention ?
— Je vois que je vous DÉRANGE, POURRIEZ-VOUS me consacrer quelques instants ?	— Voici en quelques mots l'objet de ma visite...

Ne dites pas	*Dites plutôt*
— Nous avons souhaité vous rencontrer au sujet du PROBLÈME évoqué lors de notre dernier entretien.	— C'est pour rechercher ensemble une solution au cas que vous nous avez soumis il y a 10 jours.
— C'est pour vous une DÉPENSE peu importante.	— Vous récupèrerez cet investissement en moins de 3 mois.
— Vous ne courrez aucun RISQUE.	— Il fonctionne en toute sécurité.
— Ne PENSEZ-VOUS PAS pouvoir envisager une première application dans les mois qui viennent ?	— C'est en cette période d'hiver que vous allez juger de l'efficacité de notre produit.
— Vous semblez INQUIET ! Qu'est-ce qui vous paraît OBSCUR dans les points que nous venons d'évoquer ?	— Vous ne semblez pas tout à fait convaincu. Sur quel point précis souhaitez-vous que nous revenions ?
— Il est bien normal que vous PRENIEZ LE TEMPS de la réflexion.	— Vous avez maintenant en mains tous les éléments pour prendre une décision.
— Votre OBJECTION mérite d'être prise en considération.	— C'est un point important sur lequel il faut s'arrêter.

— Qu'est-ce qui vous EMPÊCHE de prendre cette décision ?

— Sur quel point de détail souhaitez-vous que nous revenions avant de prendre votre décision.

— C'est un produit CONNU.

— Ce produit a fait ses preuves.

— Faites-en l'EXPÉRIENCE : vous ne courrez aucun risque.

— Mettez-les en application : c'est en toute sécurité que...

Les mots qui font naître l'agressivité.

Ce sont tous ceux qui mettent maladroitement en doute la parole de l'autre, qui attaquent de front et sans ménagement ce qu'il vient d'exprimer, qui ironisent sur ses faiblesses ou ses méconnaissances et qui le dévalorisent. Ils font naître en lui, par réaction, un réflexe d'agressivité, le besoin de se justifier ou de riposter avec violence ou décision.

Ne dites pas	*Dites plutôt*

MISE EN DOUTE de la parole de l'autre

— D'APRÈS ce que vous me dites ou si ce que vous me DITES est VRAI.

— Dans ce que vous me dites il est un point qui retient plus particulièrement mon attention.

— Ce que vous m'avez dit la dernière fois était TRÈS DIFFÉRENT de ce que vous me DITES AUJOUR-D'HUI.

— La dernière fois vous m'avez dit : « ... » Quelles sont les raisons qui vous ont amené à évoluer dans ce sens, à modifier votre point de vue ?

— Croyez-vous VRAIMENT que nos concurrents puissent vous consentir 2 % de mieux ?

— Est-ce vraiment à performance égale que ce prix vous est garanti ?

ATTAQUE DE FRONT

— Mais non ! Vous faites ERREUR. Il est ÉVIDENT que ce n'est pas ce matériel qu'il vous faut mais celui-là.

— On pourrait effectivement penser que c'est ce matériel qui est le mieux adapté mais en y réfléchissant bien et pour ces 2 raisons « ... » il me paraît que celui-ci est le plus conforme à vos besoins.

— Ce que vous dites n'a AUCUN SENS.

— Je comprends très bien votre point de vue mais on pourrait voir les choses autrement...

— Je ne vous suis PAS DU TOUT.

— Sur ce point mon opinion diverge légèrement de la vôtre.

— Vous êtes MARRANTS, vous dites TOUS LA MÊME CHOSE !

— C'est une idée communément admise, effectivement ! Mais des preuves récentes semblent indiquer...

Ne dites pas	*Dites plutôt*

DÉVALORISATION

— Si vous aviez lu ATTENTIVE-MENT les indications du constructeur vous sauriez que...
Avez-vous la fiche ?

— Dans la documentation le constructeur attire tout particulièrement l'attention de l'interlocuteur sur ce point... Voulez-vous que nous y jetions un coup d'œil ?

— Je tiens à vous FAIRE OBSERVER que...

— On me fait observer fréquemment.

— Vous êtes équipé essentiellement de PETITS véhicules.

— La puissance de vos véhicules est adaptée aux exigences du trafic.

— Je ne sais pas si je me fais BIEN COMPRENDRE (sous-entendu vous ne comprenez rien).

— Sur quel point de détail souhaitez-vous que nous revenions ?

Mais que faire alors avec un client agressif, irrité ou de mauvaise foi, me direz-vous ?

Perdre son sang froid. Crier plus fort que lui. Lui faire sentir que c'est un goujat. Dans bien des cas, ce n'est pas la meilleure formule pour le calmer, pour restaurer ce climat de confiance naturelle... et continuer à faire des affaires.

Il crie. Répondez avec calme. Pour se battre, il faut être deux. Si vous refusez le combat, il s'apaisera rapidement.

Il ment. Il exagère. Ne le contredisez pas. Inutile de se quereller, de discuter. Il n'est pas en état d'accepter ce que vous direz. Votre agressivité renforcera la sienne ou le fera battre en retraite, si effectivement vous avez réussi à lui faire prendre conscience du peu de fondement de son irritation ou de son erreur. Mais alors ? Croyez-vous que le client ne vous fera pas payer un jour le fait que vous lui ayez fait perdre la face ?

Toute contre-attaque ne fait que l'exaspérer et les aspects subjectifs l'emportent sur tous les éléments objectifs et rationnels. Gardez votre calme, soyez maître de vous et évitez tout ce qui pourrait renforcer et aviver sa mauvaise humeur ou sa mauvaise foi.

Les vendeurs ne sont pas des redresseurs de torts, ce qui leur importe c'est de faire de bonnes affaires, avec les clients qu'ils ont, tels qu'ils sont.

Et si parfois certains ne sont pas comme nous souhaiterions qu'ils soient, est-ce bien au vendeur de vouloir les changer ?

Quatrième principe fondamental :
COMMENCER PAR LES AVANTAGES...

Un produit n'est pas une fin en soi. Ce qui compte, c'est le besoin qu'il va satisfaire. Il arrive fréquemment que des vendeurs « Techniciens » ne présentent au client que les caractéristiques techniques du produit. Si le client a peu d'imagination, il ne verra pas ce que ces caractéristiques pourront lui apporter.

Si le vendeur dit : « *Mon produit contient en plus X % de silicates...* », le client sera peut-être très content de l'apprendre mais ce qui l'intéresse vraiment c'est de savoir que ces silicates ont été mis là pour empêcher la corrosion, ce qui garantit une meilleure longévité des cuves et donc une économie. Les caractéristiques techniques indiquent *ce qu'est le produit* et *de quoi il est fait*. Ce n'est pas suffisant. Ce que le client recherche, c'est de savoir ce que le produit va lui apporter : *à quoi il sert*.

La première grande règle de ce principe est de ne jamais avancer *une caractéristique technique sans y ajouter l'avantage que le client va en retirer*.

Prenons quelques exemples :

— « *Cet appareil a un obturateur à focale variable qui va de 1,8 à 22... ce qui vous permet en agissant sur cette bague de prendre des photos aussi bien dans des endroits très sombres comme l'intérieur d'un appartement ou en plein soleil, en été, à la plage, par exemple* ».

— « *Ce nouvel emballage a un couvercle où on a remplacé le grillage métallique par de fines tubulures en plastique rigide... ce qui vous permet de gerber beaucoup plus haut les caisses les unes sur les autres, sans risque de les voir s'écrouler. Cela vous fera gagner une place considérable au sol* ».

— « *L'argumentaire sera mis au point en groupe d'une manière participative... ce qui favorisera un échange constructif entre les participants et en les impliquant dans cette œuvre collective les rendra mieux armés et plus enthousiastes à le défendre en clientèle* ».

Les caractéristiques techniques : « C'est fait de... »
Les avantages   : « C'est fait pour... »

Les premiers situent le produit dans l'optique du fabricant et intéressent peu le client. Les seconds le situent dans une optique d'utilisateur.

Mais, me direz-vous, chaque produit satisfait un nombre de besoins différents qui varient d'un client à l'autre. Pour une même marchandise tel client sera plus sensible à l'aspect « économie » et tel autre à l'aspect « prestige ».

Très juste. Vous avez totalement raison et c'est là que réside la difficulté. Il y a autant d'idées par produit qu'il y a de clients et les mobiles d'achat sont multiples.

Ainsi, dans le premier exemple ci-dessus, les motivations d'achat de l'acheteur de l'appareil photographique pouvaient être :

— Avoir un appareil sophistiqué par orgueil (« *Je vais épater la galerie et surtout mon cousin qui se targue d'avoir tous les appareils « dernier cri »*), par sécurité (« *Je suis sûr, où que je sois, de ne pas louper de photos* »), par économie (« *Un bon appareil, ça coûte moins cher à l'usage que ces appareils de quatre sous qu'il faut toujours réparer* »), etc...

Ce qui veut dire que énoncer un avantage avec une caractéristique technique c'est bien... mais que ce n'est pas suffisant. Ce qu'il faut c'est : *Avant d'avancer un avantage, savoir s'il correspond bien à une attente ou un besoin du client.*

Tout l'art de la négociation commerciale est, avant de convaincre, de déceler les besoins, les motivations du client. C'est en ce sens que la négociation se différencie de l'information qui est neutre et qui peut être récitée, sans prendre en compte les attentes de celui qui se trouve en face. Toute négociation bien conduite passe par la détection des attentes du client. Lorsqu'elles sont confuses, lorsqu'elles ne sont pas clairement définies, c'est au vendeur qu'il appartient d'aider son client à les préciser et à les exprimer.

Ces attentes se situent sur des plans différents.

Dans le deuxième exemple cité plus haut concernant de nouveaux emballages, les mobiles d'achat de l'acheteur concernant l'amélioration des couvercles auraient pu être :

— *J'équipe mes magasins avec du matériel moderne (orgueil ou sécurité pour mes employés).*

— *Je rends le rangement et le travail plus faciles (meilleure performance par rapport aux méthodes précédentes).*

— *J'améliore la rentabilité au mètre carré (meilleure utilisation de l'aire de stockage).*

Les trois niveaux où se situent les attentes sont :

— d'ordre psychologique. Elles correspondent à nos motivations, orgueil, sécurité, confort, pouvoir, intérêt pour autrui, etc...

— d'ordre fonctionnel basé sur l'utilisation plus facile, plus commode, plus durable, plus adaptée, etc...

— d'ordre rationnel : meilleur prix ou meilleure performance à prix identique.

Il est donc indispensable de connaître son client avant d'avancer un avantage et d'avoir au préalable décelé ses goûts, ses préoccupations, ses désirs.

La séquence efficace est donc :

① Déceler les attentes du client.

② Choisir une caractéristique technique.

③ Ajouter un avantage.

Mais il existe une règle encore plus efficace qui est de commencer non pas par les caractéristiques techniques mais par les avantages :

Caractéristique technique + avantage : c'est bien.

Avantage + caractéristique technique : c'est mieux.

Commencez par les avantages

Ces chaussures sont en véritable cuir de dinosaure, avec un laçage dernier cri et je vends la paire...

J'EN VEUX PAS DE VOT'PAIRE DE GODASSES !

... mais après deux secondes de réflexion...

J'ai justement ici un article spécialement conçu pour vous..!

... une seule chaussure gauche pour le prix d'une paire avec un petit supplément de 20% largement compensé par l'économie réalisée sur l'absence de votre chaussure droite...

Ah! V'là qui me parait plus intéressant! Vous avez du 43?

Bien sûr !

Prenons un exemple un peu barbare pour illustrer cette règle et commençons par ce que ne devrait pas faire ce visiteur médical :

— « *Docteur, ce nouveau produit, le « NIDRYL » est un anti-inflammatoire et un anti-bactérien d'action locale dans le traitement des infections des voies respiratoires. Son principe actif est l'Idryline extraite du Linium Atérinium. Chaque aérosolisation émet 100 millions de particules dont chacune a un diamètre de 5 microns environ...* »

Croyez-vous que ceci puisse éveiller l'intérêt du médecin ? Ce qu'il attend c'est de savoir ce que le produit va faire, ses effets positifs. Ce qui l'intéresse c'est son action sur la rapidité de la guérison, la diminution des signes pathologiques, la disparition de la douleur.

Mais continuons à écouter notre visiteur médical...

— « *... L'action anti inflammatoire du NIDRYL parce qu'il agit localement permet de fluidifier les sécrétions et de réduire l'œdème de la loge amygdalienne...* » Si le médecin a eu le courage d'écouter attentivement, il comprend déjà mieux l'action du produit et voit ce que cette caractéristique technique permet. L'argumentation du visiteur médical, sur ce point, est-elle terminée ? Non, il y manque les avantages. Écoutons-le...

« *... Il procure ainsi un soulagement extrêmement rapide de tous les symptômes gênants : douleur, aphonie, quintes de toux.* » Ouf ! Il a fallu trois bonnes minutes de patiente écoute au médecin pour comprendre les effets du produit sur le malade.

Nous avions affaire là à un médecin patient, bien disposé, mais la plupart des clients ne sont pas prêt à suivre les vendeurs dans leur galimatias ésotérique qui ne fait que satisfaire leur suffisance égoïste.

« De quoi c'est fait » m'intéresse après avoir compris « à quoi cela sert et ce que cela va m'apporter ». Avant cela m'endort, m'irrite, me donne le sentiment de perdre mon temps.

Notre visiteur médical a compris. Il va refaire son argumentation en commençant par les avantages. Écoutons-le...

— « *Supposons, Docteur, qu'un malade vienne vous voir avec une bronchite chronique, une gêne respiratoire importante, une forte oppression thoracique et une toux grasse. Ce produit, le NIDRYL, procure un soulagement extrêmement rapide de tous les symptômes inflammatoires gênants : douleur, aphonie, quintes de toux...* »

Le médecin visualise le malade et comprend ce que le produit va faire. Le médecin n'a fait aucun effort pour suivre. Le visiteur médical a fait revivre des problèmes qui sont la pratique quotidienne de ce médecin ; problèmes que le médecin doit résoudre et que le NIDRYL, dans ce cas-là, semble résoudre. Il est donc intéressé, beaucoup plus que si l'on avait commencé par étaler toutes les caractéristiques techniques.

Mais ce que dit notre visiteur peut être gratuit. Après les avantages, il faut apporter des preuves, des explications. C'est ce qu'il va faire :

« ... *Ceci est possible parce que le NIDRYL agissant localement fluidifie les sécrétions en modifiant l'expectoration et réduit ainsi l'œdème de la loge amygdalienne...* » Le médecin a compris *comment* le produit agissait. Il demande à savoir *pourquoi.* « ... *A chaque aérosolisation, l'appareil émet 100 millions de particules d'Idryline, le principe actif du NIDRYL. Chacune de ces particules a un diamètre de l'ordre de 5 microns, ce qui assure sa pénétration jusque dans les coins les plus inaccessibles des voies respiratoires.* »

Les avantages doivent donner au client l'envie de posséder le produit. Ce n'est qu'ensuite qu'il faudra prouver que tout ce qui a été dit n'est pas gratuit et que si tel avantage existe c'est bien parce qu'une caractéristique technique le permet.

Mais vous n'êtes pas au bout de vos peines. Il faut distinguer deux sortes d'avantages :

— *Les avantages portant sur l'utilité.*

— *Les avantages portant sur les qualités.*

Savez-vous ceux qu'il faut présenter en premier ?

Ceux portant sur l'utilité. A quoi cela servirait-il de développer toutes les qualités du produit ou de l'offre si l'on n'a pas, au préalable, fait ressentir la nécessité de le posséder ?

Ce n'est qu'une fois l'utilité reconnue comme telle par le client qu'il faudra « vendre » les qualités. Plus l'utilité sera ressentie comme urgente ou importante, plus la vente aura une chance d'être effectuée. Ce n'est qu'après qu'il faudra la verrouiller par l'énoncé des qualités, en prouvant que l'offre qui est faite est soit la meilleure possible, soit celle qui correspond en tous points aux attentes du client.

— « *L'avantage majeur de ce rétroprojecteur est qu'il est portable et très peu encombrant. Il est à peine plus grand qu'un attaché-case, ce qui vous permet de le transporter sans fatigue ou de le loger avec vous dans la cabine de l'avion sans avoir à le faire enregistrer...* » Le vendeur avance des avantages portant sur l'utilité.

— ... « *Ceci est possible par le faible encombrement de la lentille de Fresnel qui n'est pas plus épaisse avec le socle qu'un centimètre et demi et en plus le bras, au bout duquel se trouve la lampe, est pliable...* » Le vendeur, après l'avantage, énonce les caractéristiques techniques. Il lui faudra maintenant présenter les qualités propres à ce rétroprojecteur pour que le client, convaincu, n'aille pas acheter ailleurs.

— ... « *Encore faut-il que cet appareil qui va être bringuebalé dans tous les sens soit solide. Ce modèle est à la fois résistant et léger grâce à cet alliage de métal qui a été utilisé par la NASA...* » Notre vendeur a fait la boucle complète. Il ne lui reste plus qu'à prouver ce qu'il avance au sujet de la solidité en tapant par exemple avec un marteau (ou en faisant taper le client, ce qui est encore mieux) sur un échantillon de métal. Il a commencé par les avantages + caractéristiques techniques portant sur l'utilité et terminé par les avantages + caractéristiques techniques portant sur les qualités.

Dernière règle enfin, concernant ce 4e principe fondamental, c'est qu'on ne vend pas la qualité pour la qualité, la fonction pour la fonction, l'avantage pour l'avantage. *Ce qu'il faut « vendre » c'est ce que le produit apporte de plus, de mieux ou de différent des autres.* Si vous vendez une qualité ou un avantage que tous les autres concurrents possèdent ou qui est la fonction même du produit, pourquoi voulez-vous que votre client vous achète, à vous, votre produit ? On n'achète pas une fourchette parce qu'elle a des dents ni un couteau parce qu'il coupe. Ce que l'on achètera, c'est ce qu'ils auront de plus, de mieux ou de différent que les autres.

— « *Monsieur, mon aspirine supprime le mal de crâne.* »

— « *Mais, Monsieur, toutes les aspirines suppriment le mal de crâne.* »

— « *Monsieur, mon aspirine s'avale facilement avec un verre d'eau.* »

— « *Mais, Monsieur, toutes les aspirines s'avalent facilement avec un verre d'eau.* »

Avant d'avancer un avantage,
vérifiez s'il correspond à un besoin

— « *Mais, Monsieur, toutes les aspirines agissent en moins de deux heures.* »

— « *Monsieur, mon aspirine a un goût agréable.* »

— « *Mais, Monsieur, toutes les aspirines ont un goût agréable.* »

— « *Monsieur, me permettez-vous de prendre une aspirine, je commence à avoir mal au crâne ?* »

Les Américains disent « quelle est votre promesse ? » (Your USP → Your Unic Sale Proposition). Qu'est-ce que votre produit ou votre offre me promet que les autres n'ont pas ? Dans la centrale d'achat d'une grande chaîne d'hypermarchés américains un acheteur professionnel a épinglé sur sa porte une pancarte à l'usage des représentants sur laquelle il a inscrit :

« *Avant d'entrer réfléchissez à ces 2 questions :*

— Contre quel concurrent vous positionnez-vous ?

— Qu'apportez-vous de plus ?

Si vous ne pouvez répondre et apporter des preuves à ces 2 questions, inutile de vous déranger... et de me déranger ».

Résumons maintenant les règles principales de ce quatrième principe fondamental :

(1) Chaque caractéristique technique doit s'accompagner d'un avantage.

(2) Avant d'énoncer un avantage, savoir s'il correspond bien à une attente ou un besoin du client.

(3) Présenter les avantages avant les caractéristiques techniques du produit.

(4) Commencer par les avantages portant sur l'utilité avant ceux portant sur la qualité.

(5) Se centrer sur les avantages qui apportent quelque chose de mieux, de plus ou de différent que les autres.

Résumons les 4 principes fondamentaux

CE QUI SE FAIT TROP SOUVENT	CE QU'IL EST PRÉFÉRABLE DE FAIRE
• La récitation d'un monologue (Le même à tous les clients).	• *Le Dialogue* Pour éviter de laisser le client passif, indifférent, absent. Pour éveiller son intérêt et son désir.
• La projection. Le désir de convaincre et d'imposer son point de vue quels que soient les besoins ou les attentes du client.	• *L'empathie.* S'intéresser au client, à ses besoins, à ses motivations, à ses freins avant d'essayer de le convaincre.
• Vaincre le client. S'imposer avec force sans considération des préoccupations de l'autre.	• *Créer un climat de confiance.* — Être compétent. Être perçu comme un spécialiste. — Rassurer. Avoir les comportements et les expressions qui conviennent.
• Présenter les caractéristiques techniques du produit sans parler des avantages.	• *Commencer par les avantages...* avant de développer les caractéristiques techniques.

3ᵉ PARTIE

LES SIX CONDITIONS ESSENTIELLES

LES SIX CONDITIONS ESSENTIELLES

Les quatre principes fondamentaux sont la philosophie de la vente, la coloration générale nécessaire pour qu'une négociation ait toutes ses chances d'être conduite à bonne fin.

Les grandes lignes de force maintenant définies il faut entrer dans les détails. Nous devons peaufiner, ciseler, fignoler. Les bonnes intentions ne suffisent pas (nous savons que l'enfer en est pavé). Nous avons compris comment doit être notre vente. Il faut maintenant la démonter pièce par pièce, l'analyser, passer au crible tous les éléments qui la composent, mettre au rebut ceux qui sont indésirables ou inconvenants, garder et mettre en avant ceux qui nous servirons à augmenter nos chances d'enlever des affaires.

Ces lois de la communication, ces règles du savoir négocier, ces techniques de vente, nous les avons regroupées en six rubriques. Ce sont les six conditions essentielles pour nous donner de meilleures possibilités de réussir nos ventes. Six conditions qui devraient, à condition d'être capables de les appliquer (ce qui n'offre aucun doute !), nous aider à devenir ces grands stratèges de la vente dont la typologie des vendeurs du début de cet ouvrage nous a montré toutes les vertus et les qualités.

Passons-les déja en revue avant d'en démonter les mécanismes...

Première condition essentielle

1 SAVOIR RÉUSSIR LE CONTACT

11. *Comment réussir le contact.*
  - Débuter par une proposition qui intéresse le client.
  - Décrire rapidement les avantages de l'offre.
  - Introduire l'idée que l'offre que l'on va faire est particulièrement adaptée aux besoins du client.
  - Valoriser son interlocuteur.
  - Rappeler l'aspect positif de l'entretien précédent.
  - Mettre en appétit.
  - Évoquer les problèmes propres à la profession du client.

12. *Que faire en cas de refus.*

13. *Les fautes à ne pas commettre en début d'entretien.*
  - Les excuses.
  - Faire du négatif.
  - Du « je » et du « moi » en veux-tu, en voilà.
  - Ne pas prendre l'initiative.
  - Dévaloriser.
  - Ouvrir hors sujet.

Première condition essentielle : SAVOIR RÉUSSIR LE CONTACT

Guy Wallaert * disait :

« Une minute...

Une minute en début d'entretien pour créer chez notre interlocuteur un désir d'écouter, le besoin de poursuivre la conversation, l'envie d'en savoir davantage.

Une minute, une minute en début d'entretien pour transformer un interlocuteur hostile ou indifférent en un interlocuteur attentif. Ce n'est guère facile...

Et celui qui n'a jamais eu la désagréable impression de s'enliser très vite dans un monologue qu'il ne sait comment finir...

Celui qui n'a jamais constaté qu'une improvisation malheureuse avait ouvert le dialogue hors sujet et que cette erreur ne pouvait être rattrapée.

Celui qui, croyant bien faire en flattant son interlocuteur, en lui laissant l'initiative d'entamer la conversation, ne s'est jamais fourvoyé dans une discussion dont il perdait le contrôle.

Celui-là n'a jamais vendu... ».

Vos premiers pas, vos premiers gestes, vos premiers mots disent d'entrée de jeu qui vous êtes et vous situent aux yeux de votre interlocuteur. Ce sont ces premières minutes qui vont créer le climat favorable, indifférent ou hostile et conditionner tout le reste de l'entretien.

Réussir son contact nécessite une préparation rigoureuse où rien n'a été laissé au hasard. La confiance que le client vous manifestera d'emblée, la crédibilité qu'il vous portera dès les premiers mots, le

---

* Guy Wallaert a été plusieurs années consultant à Cegos VOC. Il a écrit de nombreux documents sur la vente qui ont inspiré quelques-unes des pages de cet ouvrage.

plaisir qu'il aura à discuter avec vous, l'intérêt qu'il portera à votre offre dépendent de la manière dont vous avez su faire vivre ces « premiers instants ».

Voyons donc ensemble les attitudes et expressions qui favorisent votre « entrée en scène » et celles qui risquent de vous faire passer trop rapidement du « côté cour au côté jardin ».

11. *Comment réussir le contact.*

Monsieur X... vieux représentant en droguerie commençait toutes ses visites aux clients par cette phrase :

« Alors, Monsieur Untel, comment ça va les affaires ? »

Or tout le monde sait qu'en France les affaires vont mal et ceci quels que soient le type d'activité, la saison, la clientèle ou les rapports avec son percepteur. Comment dans ces conditions ne pas faire pleurer les clients sur leur sort, la difficulté de la vie ou les stocks trop importants, en évoquant un tel sujet ! Et pourtant ce représentant d'expérience (ce qui prouve, en passant, que l'expérience est aussi une très bonne manière de nous faire faire les mêmes bêtises pendant des années) n'avait pas compris que créer un climat négatif dès les premières secondes lui serait forcément préjudiciable pour mener à bien sa négociation.

Il avait mieux à faire...

1) *Débuter par une proposition qui intéresse le client.*

Le produit que vous présentez a été fait, nous l'avons vu plus haut, pour accomplir une fonction, pour satisfaire un besoin ou pour résoudre un problème. Il n'est pas en lui-même une fin en soi et faire mention du produit dès les premiers mots serait probablement une erreur. Par contre évoquer une amélioration que le produit apporterait ou un problème qu'il pourrait résoudre éveillera plus sûrement l'intérêt du client et le mettra alors en situation de demandeur.

La formulation est généralement faite sous forme de question. Question à laquelle il ne peut que répondre OUI ou une phrase qui montre l'intérêt qu'il porte au produit.

Voyons quelques exemples :

— « *Savez-vous que sans frais d'investissement importants vous pourriez dégager près de 40 m² dans votre atelier, de quoi installer un nouvel établi... ?* »

— « *Connaître à chaque instant l'évolution de l'usure de vos moteurs et toute anomalie de fonctionnement bien avant qu'elle ne dégénère en avarie grave, est-ce que cela vous intéresse ?* »

— « *En revoyant la totalité de vos commandes passées en un an j'ai pensé que nous pourrions avoir une meilleure action sur vos marges. Voulez-vous que nous étudions la chose ensemble ?* »

— « *Gagner 10 centimes par kilo vous paraît-il une économie intéressante ?* »

Cette manière de questionner à laquelle votre interlocuteur n'a pu que répondre OUI sert de POINT D'APPUI à votre argumentation. L'évidence du problème posé doit entraîner en réponse une affirmation et suggère que des améliorations aux solutions actuelles existent.

Cette méthode permet de gagner du temps et de l'efficacité. Elle « branche » directement le client sur un de ses centres d'intérêt et permet de démarrer immédiatement l'entretien sur un point de force de votre argumentation.

Vous êtes crédible et ne faites pas perdre de temps à votre interlocuteur avec des paroles superflues. Vous mettez en évidence des problèmes réels mais auxquels le client ne pense pas toujours par habitude, par résignation ou par absence de solution.

En le faisant participer et en l'intéressant vous le faites pénétrer de plain-pied dans ce que votre argumentation a de plus fort.

2) *Décrire rapidement les avantages de l'offre.*

Nous l'avons déjà vu plusieurs fois, ce que le client recherche n'est pas le produit en lui-même, mais les satisfactions qu'il en tirera. Ce qu'il faut donc, surtout pour les ventes de produit à achat espacé, c'est, rapidement, de provoquer le désir d'achat. On a donc intérêt, chaque fois que le client ne nous connaît pas, n'a pas un besoin pressant de notre produit, manque de temps ou est préoccupé, de stimuler dès les premiers instants son envie, en évoquant devant lui les plaisirs ou les avantages que l'offre pourra lui procurer :

Décrire rapidement les avantages de l'offre

— « *Quand un malade porteur d'une otite vient vous voir* dit le visiteur médical au médecin, *ce que vous recherchez, dans un premier temps, je suppose, c'est de calmer la douleur, ensuite de traiter l'inflammation* ».

— « *Dans quelques semaines votre maison sera terminée. Ce que vous apprécierez c'est de vivre dans une pièce agréablement chauffée sans avoir à chauffer les autres pièces, inutilement* ».

— « *Quand on voyage beaucoup comme vous, on est content, arrivé à destination, de pouvoir se changer et de sortir de sa valise un complet parfaitement repassé, sans un faux pli. Ceci est particulièrement important dans les voyages d'affaires où la tenue vestimentaire joue un grand rôle* ».

— « *Faire acheter plus et augmenter le prix moyen du panier de la ménagère est une de vos préoccupations mais ce n'est pas la seule. Ce que vous recherchez, parallèlement à cet effort, est de faire venir dans votre libre surface le plus de monde possible. Ceci est très facilement réalisable avec un investissement de départ très faible. Supposons que vous augmentiez le nombre de vos clients de 10 % seulement, cela représenterait un chiffre d'affaires supplémentaire de combien ?* »

3) *Induire l'idée que l'offre que l'on va faire est particulièrement adaptée aux besoins du client.*

Dans les premières minutes d'une négociation le vendeur est souvent perçu par le client comme un gêneur, comme quelqu'un qui voudrait lui soutirer de l'argent en échange d'un objet dont il n'aurait pas besoin. C'est ce qui explique l'attitude froide, fermée ou franchement hostile du client au début d'un entretien de vente.

La technique dont des exemples sont présentés ci-dessous, induit l'idée que l'offre qui va être faite est particulièrement adaptée aux besoins du client.

Elle lui donne le sentiment dès le départ que les problèmes qui seront évoqués sont les siens et en ce sens il est rassuré. Cela ne suffira pas, il faudra par la suite démontrer les avantages de notre solution, la nécessité de l'adopter et, bien sûr, de le persuader à l'achat.

Le vendeur de produits diététiques vétérinaires dira au pharmacien :

— « *Vous avez sûrement dans votre clientèle des personnes possédant des chiens obèses, qui ne font pas assez d'exercice et qui viennent vous voir parce qu'ils ne peuvent pas malgré des régimes plus ou moins bien équilibrés faire perdre des kilos à leurs animaux* ».

Le vendeur en quincaillerie :

— « *Il vous est arrivé fréquemment de vouloir introduire des chevilles dans du béton et malgré des chignoles électriques perfectionnées, à percussion ou autre, de faire des trous plus larges que vous ne vouliez* ».

Le représentant en produits de nettoyage industriel :

— « *Avez-vous déjà eu à nettoyer des taches anciennes de produits corrosifs sur des surfaces poreuses comme le marbre ou des carreaux de céramique non vernissés ? Et vous avez constaté qu'en dehors du meulage et de l'abrasage il n'était pas possible de redonner à la surface un aspect uniforme* ».

4) *Valoriser son interlocuteur.*

Les gens sont en général flattés de savoir qu'ils sont aimés, admirés ou appréciés. Un dicton populaire dit qu'« il vaut mieux faire envie que pitié ». Tout client est sensible aux marques de reconnaissance adressées par le vendeur qui valorise son activité, ses qualités d'acheteur ou de spécialiste, ses compétences professionnelles. Tout client aime recevoir des compliments à condition qu'ils soient vrais et qu'ils ne soient pas ressentis comme de la basse flatterie. Tout client accepte que l'on reconnaisse sa valeur, ses mérites, sa compétence, mais cela nécessite du vendeur de l'empathie, de vouloir s'intéresser à l'autre et de discerner chez lui ce qui est réellement notable, significatif. Valoriser son interlocuteur en s'appuyant sur des faits précis, indiscutables ne peut qu'indiquer à l'autre l'intérêt et l'estime qu'on lui porte. C'est ainsi créer un climat positif de respect mutuel et d'acceptation réciproque.

Par cette façon d'ouvrir le dialogue, le vendeur montre qu'il sait reconnaître et mettre en valeur ce qui distingue son interlocuteur des autres clients.

— « *En passant par Feyzin hier, j'ai vu le nouveau chantier que vous venez d'ouvrir à proximité de la raffinerie. Un vaste chantier dites donc. Du même ordre que celui que vous terminez à Valence ou plus grand ?* »

Valoriser son interlocuteur

— « *Du même ordre en ce qui concerne le matériel qui sera sur place mais plus long... on est là pour 8 ou 9 mois minimum.* »

— « *Vous avez la réputation dans la région, Monsieur Varnet, d'être le premier à avoir lancé un véritable programme d'entretien préventif sur vos camions. Un programme qu'on vous envie pour sa rentabilité.* »

— « *Oui, mais pour moi, c'est plus encore pour la tranquillité d'esprit et la sécurité qu'il m'apporte que je l'apprécie.* »

— « *Je passais l'autre jour au bout de la rue et de là j'ai vu votre nouvelle enseigne. Je me suis dit alors : comment se fait-il que les autres commerçants n'aient pas déjà eu l'idée de faire quelque chose d'aussi attractif. C'est vous qui aviez déjà lancé l'idée des réductions pour achats groupés avec d'autres commerçants !* »

— « *Oui. Que voulez-vous, on ne fait pas d'affaires en dormant. Il faut s'agiter pour gagner de l'argent.* »

— « *En montant, j'ai vu votre nouvelle ère de stockage. Belle réalisation. Cela doit vous faciliter grandement la gestion de vos stocks.* »

— « *Ça me permet d'avoir beaucoup plus de matériel avec un meilleur contrôle des rotations. C'était un investissement indispensable que je vais rentabiliser rapidement.* »

5) *Rappeler l'aspect positif de l'entretien précédent.*

Cette façon d'ouvrir le dialogue, c'est le moyen pour l'interlocuteur de se remettre rapidement et clairement en mémoire l'objet de la visite précédente et de prendre conscience qu'il y a dans l'action des vendeurs une continuité et non une improvisation au coup par coup.

— « *Lors de notre dernier entretien, vous m'aviez dit vouloir utiliser le NIDRYL dans le cas de bronchite chronique pour les deux avantages suivants :*

* *modification de la sécrétion mucopurulente ;*
* *et diminution de l'œdème de la loge amygdalienne.*

Qu'en est-il exactement ? »

— « *Vous m'aviez dit la dernière fois hésiter sur la fréquence de vidange de vos nouveaux camions : 6 000 ou 8 000 km.*

Je vous ai apporté là des résultats chiffrés, relevés sur 12 camions qui travaillent dans des conditions identiques aux vôtres. Ils permettent de revoir cette question en meilleure connaissance de cause, de façon plus précise. Voulez-vous que nous en parlions ? »

— « *Vous m'aviez parlé la dernière fois de la difficulté que vous aviez à désinfecter en permanence les animaleries de laboratoire et d'éviter que la contagion se propage d'un bloc à l'autre. J'ai là le résultat de 8 expériences sur un délai minimum de 2 ans... »*

— « *Vous m'aviez fait part, lors de notre dernier entretien de votre intention de réduire le nombre de références par gamme d'articles pour mieux concentrer les ventes sur ceux dont la rotation est la plus forte. J'ai réfléchi à votre problème et j'ai préparé à votre intention un avant-projet chiffré que je voudrais vous soumettre. »*

6) *Mettre en appétit.*

Accrocher très vite l'attention de l'interlocuteur, l'accrocher visuellement en lui présentant une courbe, un graphique, un échantillon, une pièce, une photographie de façon telle qu'il ait envie d'en savoir davantage, d'en connaître plus. C'est cela sa mise en appétit.

— « *Vous voyez cet outil de coupe ? C'est un acier au chrome-tungstène que m'a remis Monsieur Monier de Toulon qu'en pensez-vous ?*

● *Oui, il est un peu marqué mais il pourrait encore servir. Qu'a-t-il de particulier ?*

— *Il a servi à décolleter plus de 200 pièces comme celle-ci sans qu'on ait eu à le changer ».*

— « *Ces photos que j'ai rassemblées à votre intention montrent l'état de surface de sellettes de semi-remorques après 60 attelages sans graissage.*

● *60 attelages sans aucun graissage ?*

— *Oui et pour des véhicules qui font une partie de leur trajet sur pavés et à vide.*

- *Faites voir ».*

— *« Tenez, présentez la flamme de ce briquet sous ce morceau de toile. Qu'est-ce que c'est d'après vous : des fibres naturelles ou un tissu synthétique ? »*

— *« Cette courbe montre le temps nécessaire pour renouveler entièrement l'air de votre atelier et celle-ci montre la quantité de chaleur nécessaire pour maintenir une température constante de 20 degrés. La pratique prouve que 6 renouvellements à l'heure sont amplement suffisants. Voulez-vous que nous calculions ensemble la solution chauffage la plus adéquate ?*

- *oui, bien volontiers ».*

7) *Évoquer les problèmes propres à la profession du client.*

Comment voulez-vous qu'un client ne soit pas intéressé par les problèmes que rencontrent les autres membres de sa profession ! Dès qu'il entend parler des besoins, des préoccupations, des expériences de ses collègues, il dresse l'oreille ; leur avis ayant souvent plus de poids que n'importe quel argument du vendeur.

Une des manières habiles d'ouvrir l'entretien est donc de relater des propos recueillis auprès d'autres clients ou de décrire une expérience vécue par eux. Cette technique a la vertu de prouver au client que le vendeur connaît bien à la fois la profession de son interlocuteur et les problèmes de cette profession.

— *« Monsieur Lamotte, votre voisin, avec qui je discutais récemment me disait que le camion qu'il avait acheté, du même type que le votre, était plus sensible que le précédent à la dilution, notamment en ce qui concerne l'usure des coussinets de bielle.*

- *Ah bon ! Et comment diable s'en est-il aperçu ? »*

— *« Certains commerçants en libre service de la région m'ont fait part d'une de leurs préoccupations : la dégradation de la marge par la démarque inconnue. Est-ce aussi votre cas ?*

● *Oui. C'est un réel problème.*

— *Ils m'ont affirmé que cela pouvait dépasser 4 % du chiffre d'affaires.*

● *C'est exactement cela ».*

— « *Monsieur Martin, que vous connaissez bien, me disait hier que la tendance était cette année très marquée vers la vente d'appareils entièrement automatiques. Il en vend actuellement un tiers de plus que les semi-automatiques. Monsieur Rémi qui se trouve dans le centre commercial près de chez vous me confirmait cela ce matin. Il me disait que d'ici la fin de l'année, il vendra 2 automatiques pour 1 semi-automatique. Ces chiffres sont-ils voisins des vôtres ? »*

12. *Que faire en cas de refus.*

Le client n'est pas toujours disponible. Il peut avoir des ennuis personnels ou, au moment de l'entretien, avoir des préoccupations totalement différentes de l'objet de la vente. Ses réactions peuvent être parfois brutales :

« *Je n'ai pas de temps maintenant... »*

« *Écoutez, laissez-moi votre documentation, je la regarderai à tête reposée. »*

« *Je n'ai besoin de rien pour l'instant... »*

Il peut aussi ne pas avoir de besoin, ou penser que ce qu'il possède lui suffit. Aussi ne voit-il pas l'intérêt de « perdre du temps » avec un vendeur.

Que doit faire le vendeur face à cette situation ?

Deux solutions sont possibles :

A. — *Évitez toute polémique.* Ne pas donner le sentiment d'insister, de « s'incruster », de force. Ne pas employer des phrases du type : « *Vous avez bien quelques minutes »* ou « *pourtant, je suis persuadé que vous ne pouvez qu'être intéressé par ce que je vais vous présenter ».*

Le mieux est de dire :

— « *Je me bornerai alors à vous donner juste deux précisions sur les économies que vous pouvez réaliser avec cet appareil au cas où un jour vous en auriez besoin* ».

— « *Votre clientèle peut vous en faire la demande, d'autant plus que nous démarrons très fort une campagne de publicité. Aussi, en deux mots, il est nécessaire que vous connaissiez ces quelques indications...* »

— « *En vue d'un emploi éventuel, ces quelques indications pourront vous être utiles...* »

B. — *Changer de rôle.* Le vendeur a été refusé parce qu'il était perçu comme quelqu'un qui propose une offre dont l'autre, *a priori*, n'a pas besoin. Tant que le vendeur gardera sa casquette de vendeur et qu'il insistera, il renforcera l'effet négatif. La tactique, momentanée (le temps que le client se calme, se radoucisse et accepte la présence du vendeur) est de dire alors :

« *Je vous comprends tout à fait. Je ne vous proposerai rien aujourd'hui. Permettez-moi juste de vous poser deux (ou trois) questions très brèves sur...* »

Les questions à poser sont sur la clientèle, sur l'activité, sur le matériel ou sur les problèmes rencontrés par le client.

Une variante un peu flatteuse, qui donne en général d'assez bons résultats est de dire quand le client vous adresse un « *Écoutez, je n'ai besoin de rien aujourd'hui, revenez plus tard* ».

— « *Très bien, Monsieur Untel, je conçois tout à fait que vous n'ayez besoin de rien pour le moment. J'aimerais juste, puisque vous êtes en face de moi et que vous êtes le spécialiste de...* (A vous de trouver de quoi il est le spécialiste. Tout le monde peut être le spécialiste de quelque chose) *vous poser juste deux questions sur...* (en rapport avec sa spécialité supposée). »

Il est rare qu'un client qui vous a éconduit quelques minutes auparavant malgré votre « bonne tête et votre bon sourire », qui se sent donc gêné et culpabilisé, n'ait pas une dette vis-à-vis de vous et n'ait pas envie de racheter son attitude négative par une attitude plus agréable en vous accordant quelques instants pour répondre à vos questions. Ceci d'autant qu'il ne perçoit plus la pression de la vente et que vous l'avez valorisé en en faisant un spécialiste.

A vous, après, ayant créé ce fameux climat de confiance et ayant fait apparaître le besoin par vos questions, d'essayer de montrer que vous avez la solution qui convient.

Mais cette première condition essentielle : « Savoir réussir le contact » ne serait pas complète si nous ne voyions aussi les raisons qui pourraient le faire échouer.

13. *Les fautes à ne pas commettre en début d'entretien.*

Elles sont nombreuses. Ce sont toutes celles qui diminuent la compétence ou la crédibilité du vendeur, qui le font percevoir comme un « commerçant haute pression », qui lui donnent le rôle de gêneur ou de solliciteur. Ce sont celles qui agressent, dévalorisent ou indisposent le client. Ce sont celles qui centrent plus l'objet de la visite sur le produit et ses caractéristiques que sur le client et ses besoins.

Elles sont nombreuses... mais essayons de récapituler les plus fréquentes :

1) *Les excuses.*

« *Excusez-moi de vous déranger.* » « *Je sais que vous êtes très pris, merci de me recevoir* » « *Acceptez-vous de me recevoir juste une petite minute ? J'espère que je ne vous dérange pas.* »

Quelle considération le client peut-il avoir pour un vendeur si pleutre, si petit, si mal assuré ? Quelle confiance peut-il lui accorder ? Un vendeur qui s'aplatit à ce point sera-t-il suffisamment fort et solide pour résoudre les problèmes qui pourraient se présenter et défendre le point de vue du client auprès de la fabrication ou des services comptables, pour donner les conseils qu'on est en droit d'attendre de lui ?

2) *Faire du négatif.*

Attaquer dès le début par des questions qui font apparaître des divergences d'opinion. Minimiser le but professionnel de l'entretien

« Je passais par là ». Faire en sorte que le client refuse les unes après les autres les affirmations du vendeur : ce sont là les attitudes du vendeur calamiteux, négatif qui induit un climat dans lequel le client va adopter rapidement un comportement de refus, de blocage ou même d'agressivité.

— « *Les grèves récentes ont sans doute, comme pour l'ensemble de vos collègues, pas mal perturbé votre activité ? Quelle catastrophe pour les affaires ! Ça a été une pagaïe noire, chez nous, à la facturation. Au fait, avant que je n'oublie pensez-vous pouvoir régler notre dernière facture à la date prévue ? Je vous demande cela parce que la direction nous a donné des consignes très strictes* ».

— « *Je passais par là et je me suis dit — pas question de passer devant M. Martin sans le saluer... d'autant que ça fait un moment... hein ? Oui faut dire que c'est un peu perdu par ici et c'est un coin ou j'ai pas beaucoup de clients* ».

— « *Alors, comment ça va maintenant avec notre service livraison. Vous n'avez plus d'ennuis ? Et avez-vous réussi à monter le matériel expédié ? Cela n'a pas dû être facile* ».

— « *Bien des clients m'ont signalé qu'ils étaient obligés de pointer tous les articles reçus au moment de la livraison. Vous aussi vous avez eu les mêmes problèmes ?*

● *Quels problèmes ?* »

3) Du « je » et du « moi », en veux-tu, en voilà.

Nous avons vu plus haut, quand nous avons passé en revue les principes de base qui favorisent le bon déroulement d'une négociation, que nous avions toujours intérêt à parler au client de lui.

Vouloir l'intéresser à vous, à vos propres préoccupations, à votre produit est un bon moyen... de l'endormir ou de renforcer la charge négative qu'il avait contre ce « vendeur-qui-vient-encore-lui-faire-perdre-son-temps-alors-qu'il-a-tant-de-choses-importantes-à-faire ».

— « *Notre Société a été créée en 1910 par le grand-père de notre P.D.G. actuel, Monsieur Untel. Au départ ce n'était qu'un petit atelier de mécanique installé dans la remise d'un garage. Tout de suite après la guerre notre Société a pris un essor considérable grâce au développement de l'aéronautique et a transféré ses installations dans...* »

— « *Bonjour, Monsieur Moret, j'ai failli être en retard à notre rendez-vous car ce matin en partant de chez moi, je me suis rendu compte que je n'avais plus mon fichier. Il faut vous dire que j'ai des affaires chez moi, au siège de la Société où tous les représentants ont un bureau et au dépôt régional. Or le lundi je prépare la tournée de la semaine et je...* »

— « *Mon produit est un antihelmintique puissant mis au point dans notre laboratoire de recherche de Borme-les-Merisy. C'est un chloriferite-acétyl methylé dont la molécule a été légèrement modifiée par l'adjonction d'un ion-calcium. Sa formule développée est...* »

4) *Ne pas prendre l'initiative.*

Ne pas prendre l'initiative d'ouvrir le dialogue, c'est par timidité parfois ou par méconnaissance de ce qu'il convient de faire, laisser à notre interlocuteur l'initiative en début d'entretien.

Vers quelle destination non prévue, loin du but que l'on s'était fixé, va-t-il nous conduire ? Comment fera-t-on pour le ramener vers le sujet qui a motivé notre visite ?

— « *Alors Monsieur Lami... la grande forme ?*

● *Ne m'en parlez pas. Depuis quelques jours rien ne va plus. Un lumbago terrible dans le bas du dos. Et avec ça une migraine... J'ai vraiment pas le cœur au boulot* ».

5) *Dévaloriser.*

Dévaloriser, c'est diminuer dans l'esprit de notre interlocuteur, souvent par modestie, l'intérêt que présente pour lui notre démarche ; c'est parler maladroitement de son activité, de l'état de son matériel, de son organisation et de bien d'autres choses encore... en les rabaissant, en les rapetissant, le plus souvent de façon involontaire.

— « *Vous avez cherché à me joindre à plusieurs reprises cette semaine, paraît-il. Et bien me voilà, mais vous savez ce que c'est, j'étais en pourparlers avec un gros client et il m'était difficile de le laisser tomber* ».

— « *Tiens, vous êtes toujours là, Monsieur Sisco. Je ne pensais pas vous trouver. J'avais cru entendre dire que vous aviez eu une promotion* ».

Ouvrir hors sujet

Qu'est-ce que vous vendez?

Bonjour Monsieur! Alors? Cette ouverture de la chasse? C'était hier? Comment ça s'est passé?

Et bien... figurez-vous que je me trouvais à l'affût, quand je vois arriver une bête énorme, au moins 6 à 7 tonnes... je lui envoie un coup de fronde entre ses trois yeux... elle fonce sur moi... juste eu le temps de me mettre à l'abri dans une grotte... j'allais recommencer...

Oh! Excusez-moi, je vois qu'il y a du monde qui attend. Si vous veniez pour une commande... repassez le mois prochain...

6) *Ouvrir hors sujet.*

Ouvrir hors sujet, c'est inconsciemment retarder le moment où l'on parlera affaires. C'est éprouver le besoin de « faire un détour avant d'entrer dans le vif du sujet ». Cette technique est parfois payante mais comporte bien des risques, ne serait-ce que de ne jamais aborder le sujet qui a motivé la visite (comme le fait de ne pas prendre l'initiative).

Parler de la pluie ou du beau temps, parler des vacances avant les vacances ou après les vacances, parler des dadas du client est une pratique utilisée par les vieux représentants pour créer cette « fameuse chaleur humaine » si utile dans les affaires. Pourquoi pas ?

A condition de ne pas confondre amitié et vente.

A condition de ne pas perdre en efficacité ce que l'on gagne en civilité.

A condition de ne pas détourner le but de la visite vers une aimable relation publique... improductive.

Confiance, estime, crédibilité : tout cela doit se gagner au début d'une visite. La chaleur humaine : elle peut parfaitement se créer au cours même de l'entretien.

— « *Vous avez bonne mine. J'ai appris que vous avez passé 15 jours aux sports d'hiver, ça a l'air de vous avoir fait du bien.*

• *Ben oui, faut dire que depuis le temps qu'on y pensait ma femme et moi, cette année on s'est décidé. Et vous, vous skiez ?*

— *Oui chaque fois que j'en ai l'occasion mais plutôt en ski alpin qu'en ski de fond. Et vous ?*

• *Nous, on a essayé le ski de fond et...* ».

— « *La voiture de votre femme, ce coupé bleu marine, a beaucoup de classe. Elle en est contente ?*

• *Ce n'est pas celle de ma femme, c'est celle de ma secrétaire* ».

Deuxième condition essentielle

2 SAVOIR DÉCOUVRIR LES BESOINS DU CLIENT

21. *L'art de poser les questions.*
- La question fermée.
- La question ouverte.
- Les questions investigatrices.
- La question alternative.
- La question en retour.
- La question généralisée.

22. *La relance du dialogue.*
- Les silences.
- La phrase inachevée.
- La relance.
- Donner le point de vue d'une autre personne.
- La reformulation.

Deuxième condition essentielle : SAVOIR DÉCOUVRIR LES BESOINS DU CLIENT

Nous l'avons suffisamment vu dans les principes fondamentaux : vendre veut dire que nous avons su prouver au client que notre produit correspondait à ses besoins.

Il est donc indispensable avant d'avancer un argument d'évaluer les besoins de ce client, de savoir s'il correspond à ses attentes, d'apprécier les freins, les réticences, les a priori éventuels à l'acquisition du produit.

Que va-t-on proposer ?

— Plus de facilité d'emploi ?

— Plus d'amortissement accéléré ?

— Plus de sécurité ?

— Plus de confort ?

— Plus de prestige ?

— Plus de prix bas ?

Il faut le savoir AVANT de proposer juste. Il y a peut-être 250 arguments pour vendre une voiture.

Chaque client ne sera sensible qu'à deux ou trois d'entre eux.

Les besoins du client sont de deux ordres :

— les besoins d'ordre technique.

— les besoins d'ordre psychologique.

Les premiers sont d'ordre matériel, logique, rationnel. Ils sont l'expression réelle d'un manque :

— Agrandir son usine et désirer s'équiper de nouvelles machines.

— Améliorer la productivité de son service informatique.

— Répondre à la demande de la clientèle en offrant les marchandises qu'elle désire.

— Etc...

Les seconds, d'ordre psychologique, sont les motivations qui vont déclencher les mobiles d'achat. Ils dépendent du caractère, de la personnalité de chaque client mais aussi de la fonction occupée dans l'entreprise (les motivations d'un technicien de production ne sont pas celles de l'acheteur professionnel et celles du directeur commercial ne sont pas celles du directeur financier).

Avant de convaincre, il est donc indispensable de découvrir les besoins et les motivations du client. Il sera plus facile les ayant détectés d'adopter l'argumentation en fonction des désirs du client. Certains arguments ne seront même pas évoqués. D'autres, au contraire, prendront une place considérable dans l'entretien. Ils viendront en réponse à une attente ou à une motivation décelée.

C'est par la connaissance exacte des besoins et des motivations du client qu'il sera possible de présenter notre produit ou la solution trouvée sous le jour le plus satisfaisant pour lui.

Comment faire cette découverte ? Nous l'avons vu en partie dans le chapitre sur l'empathie :

— Accumuler des informations par la pratique des visites répétées et par la connaissance des problèmes de la profession.

— Observer tout ce qui peut être notable pour la connaissance dont on a besoin.

— Interroger l'entourage, les clients qui le connaissent, les vendeurs qui le visitent.

— Et surtout faire parler. Mais faire parler nécessite la maîtrise d'une technique bien particulière... l'art de poser les questions.

21. *L'art de poser les questions.*

A bonne question, bonne réponse. Si nous n'avons pas la réponse que nous attendons... c'est que nous n'avons pas posé de question ou que nous avons mal formulé notre question.

Mais me direz-vous, les clients répugnent souvent à répondre aux questions. Ils ont l'impression qu'on est indiscret ou qu'on veut les manipuler.

C'est vrai. Si les questions sont posées brutalement. Si les questions sont formulées en batterie. Si les questions ressemblent plus à un interrogatoire de police qu'à la recherche réelle des besoins du client. Si les questions sont posées à un mauvais moment. Si les questions ne sont pas formulées dans la forme qu'il convient. Alors, il est normal que le client réagisse négativement. Tout l'art est dans leur formulation et dans l'attitude que nous avons quand nous les formulons.

Passons-les en revue les unes après les autres et voyons leurs avantages, leurs inconvénients et dans quelle condition les poser.

1. — *La question fermée.*

Question à laquelle il est possible de répondre par **oui** ou par **non**.

Les avantages sont :

a) Elle oblige à une réponse et permet l'ouverture au dialogue.

— « *Avez-vous souvent dans votre clientèle des malades qui viennent vous consulter parce qu'ils veulent maigrir sans avoir à faire un régime sérieux ?*

● *Oui fréquemment.* »

b) Elle permet de faire du client, en quelque sorte, un demandeur.

— « *Est-ce que la facilité d'entretien est pour vous un élément important ?*

● *Bien sûr. Pourquoi ?* »

Alors que si la formulation avait été faite sous forme d'affirmation, le client n'aurait peut-être pas porté un grand crédit au propos du vendeur ou aurait pu, ce qui arrive fréquemment face à une affirmation trop péremptoire, prendre le contrepied.

— « *Je vous signale une facilité d'entretien exceptionnelle.* »

● *Oui, c'est toujours le même refrain. A l'usage on s'aperçoit que ce n'est pas tout à fait cela.* »

c) Le oui engage notre interlocuteur. Il ne peut revenir en arrière par la suite et le vendeur peut avoir à utiliser cette dynamique positive pour montrer au client hésitant que ce qui lui est proposé est bien ce qu'il recherche.

— *« Vous m'avez bien dit tout à l'heure que la qualité première de cet engin devait être la maniabilité ?*

● *Oui.*

— *« Vous êtes d'accord avec moi qu'il correspond en tous points à l'usage que vous voulez en faire ?*

● *Oui.*

— *« Dans ces conditions, c'est bien cet appareil qu'il vous faut... »*

d) Elle permet de contrôler que le client suit bien ; elle jalonne l'accord du client tout au long de l'entretien, elle fait apparaître les doutes qui une fois formulés peuvent être levés par le vendeur.

— *« Donc, pour dresser le bras de levier, il faut abaisser le cliquet qui se trouve là. Vous me suivez ?*

● *Oui, oui, parfaitement.*

— *« Ensuite, le ramener dans une position latérale. C'est facile n'est-ce pas ?*

● *Assez, oui. Mais il ne faut pas faire de fausse manœuvre.*

— *« Combien de personnes doivent s'en servir ?*

● *Mon assistant seulement et moi.*

— *« Donc pas de problème. Il suffira de l'avertir et de le lui faire manier avant la mise en route définitive. Voulez-vous que nous passions à un autre point ?*

● *Oui, bien volontiers. »*

e) Elle permet de fixer l'accord du client sur un certain nombre d'avantages vers la fin de l'entretien avant de tenter une technique de conclusion.

— *« Résumons-nous. Compte tenu du peu d'espace, vous êtes obligé d'agrandir votre ère de stockage dans ce passage. C'est bien cela ?*

● *Ben, oui !*

— *La solution rayonnage en bois ne peut être envisagée compte tenu de l'encombrement. On est bien d'accord ?*

● *Oui. Oui !*

— *Il reste la solution métallique. Vous avez noté vous-même la légèreté et la facilité de montage de ce modèle. C'est donc bien le modèle qui vous convient le mieux n'est-ce pas ?*

● *A l'évidence. Oui ! »*

f) Elle permet d'engager le dialogue et d'ouvrir sur d'autres questions.

— *« Pensez-vous ouvrir un rayon bricolage, prochainement ?*

● *Sûrement. Plus tard.*

— *Un rayon assez général ou très spécialisé ?*

● *Je ne sais pas encore très bien. Que me conseillez-vous ? »*

Les inconvénients sont eux aussi nombreux.

— La question fermée donne peu de renseignements et doit être complétée par toute une série d'autres questions.

— Elle risque d'être vécue comme brutale ou indiscrète. Pour être formulée, notamment en début d'entretien, on a donc souvent intérêt à la justifier. « Si je vous pose cette question, c'est parce que... »

— Elle présente le danger d'avoir un NON alors que la réponse attendue était un OUI et de se trouver dans une situation de blocage.

2. — *La question ouverte.*

Elle demande l'opinion de notre interlocuteur. Elle débute souvent par *« Que pensez-vous de ... ? » « Quelle est votre opinion... ? » « J'aimerais avoir votre avis sur... »*

Les avantages sont :

a) De permettre une meilleure ouverture au dialogue. Elle peut être formulée tout de suite après une question fermée.

— *« Avez-vous agrandi comme vous le vouliez, votre rayon « surgelés » ?*

● *Oui, il y a 2 semaines.*

— *Et que pensez-vous du développement de ce marché ?*

● *Et bien, c'est un marché qui va progresser considérablement. Aux États-Unis le tiers de la consommation alimentaire est représenté par du surgelé. Ma première semaine a été en chiffre d'affaires supérieure à ce que je pensais. Bon, je dois encore étudier et ajuster mon assortiment, mais c'est encourageant. »*

b) De laisser le questionné libre du champ, du choix et de la direction de sa réponse. Ainsi dans l'exemple précédent le client a parlé des États-Unis, de l'expérience de sa première semaine, de son intention de réviser son assortiment. Le représentant ne pouvait pas prévoir, en posant cette question, le contenu de la réponse. Il savait seulement que le dialogue avait des chances de s'ouvrir et qu'il allait collecter ainsi une masse importante de renseignements dont il pouvait tirer profit par la suite.

c) De valoriser le questionné.

Avant de s'avancer sur un terrain qu'il ne connaît pas, le vendeur a intérêt à savoir où il met les pieds. Demander l'avis à quelqu'un permet de connaître son opinion avant de présenter la sienne et d'éviter ainsi de commettre des « gaffes » difficilement rattrapables. De plus les gens sont pour la plupart flattés d'être questionnés pour donner leur avis. Leur statut d'expert, de spécialiste, de connaisseur est reconnu et ils ont alors tendance à devenir moins critiques sur certains détails.

— *« On parle beaucoup, Monsieur, du développement de la bureautique. Pensez-vous que cela va avoir une incidence forte sur le marché des machines à écrire traditionnelles ? J'aimerais connaître votre point de vue à ce sujet. »*

d) De faire apparaître les motivations.

La forme avec laquelle le client va répondre à la question est très significative de son caractère. Et au-delà du contenu, du fond de la réponse il est important de noter ce qu'il énonce en premier, la manière dont il le dit, la façon dont il structure son propos. Ainsi l'on va voir celui qui :

— a une pensée organisée, l'homme de rigueur, de méthode « *Trois éléments me semblent importants. Premièrement... Deuxièmement... Et enfin...* » ;

— hésite, n'est pas assuré, semble méfiant. « *Heu ! ... Oui... Je ne sais pas très bien... Mais pourquoi me posez-vous cette question ?...* » ;

— projette immédiatement ses préoccupations « *Pour moi, c'est simple, ce seront les gros qui vont encore en profiter...* » ;

— se découvre totalement, laisse transparaître ses faiblesses. Ainsi l'orgueilleux montrera qu'il n'est pas insensible à une certaine forme de flatterie, à certains honneurs. Faiblesse dont le vendeur pourrait bien tirer parti. « *Vous me demandez ce que j'en pense ? Et bien, je vais vous répondre. Je suis ravi que vous m'ayez posé cette question car j'ai pas mal potassé la question. Mon avis est d'ailleurs partagé par le président de la Chambre de Commerce avec qui je dînais l'autre jour dans mon club...* »

Bien sûr cette question peut ne pas présenter que des avantages. Face à une question ouverte, le client peut prendre une direction inattendue ou partir dans des digressions incontrôlées. Posée trop tôt en début d'entretien ou sur un sujet délicat elle risque d'être perçue comme indiscrète. Elle est enfin à éviter en fin d'entretien avec des clients bavards.

3. — *Les questions investigatrices.*

Ce sont toutes les questions qui font préciser la pensée de notre interlocuteur. Elles commencent par qui, quand, comment, où, pourquoi ? Elles se posent pour en savoir plus, pour approfondir un point de détail ou pour marquer l'intérêt que l'on porte à ce que nous dit le client.

4. — *La question alternative.*

La réponse est contenue explicitement ou implicitement dans la question.

Explicitement parce qu'elle donne à l'interlocuteur un choix facile entre les deux termes de l'alternative.

Implicitement parce que s'il n'est pas d'accord sur l'un ou l'autre de ces termes, elle lui permet toutefois d'évoquer un point de vue

La question alternative

différent. Elle implique une bonne connaissance de la profession du client et de ses préoccupations.

Question peu suffisamment employée par les vendeurs mais qui présentent de nombreux avantages.

a) Elle préguide le choix de l'interlocuteur et facilite sa réponse.

« *Parmi ces deux avantages, quel est celui qui vous paraît le plus intéressant :*

— le fait que la mise en route s'effectue par entraînement direct ;

— ou la suspension du moteur qui permet une réduction considérable des vibrations ?

b) Un refus sur les deux termes de l'alternative ne ferme pas le dialogue.

Tout le monde connaît la technique de prise de rendez-vous par téléphone, qui, au lieu de dire « *quand pouvez-vous me recevoir ?* » consiste à annoncer à notre interlocuteur « *Pouvez-vous me recevoir mardi après-midi ou mercredi matin ?* »

Celui-ci, s'il refuse ces deux dates proposées laisse la porte ouverte à une troisième :

« *Ni mardi après-midi, ni mercredi matin ?*

— Donc mercredi après-midi. A quelle heure préférez-vous, à 16 heures ou à 17 heures ? »

c) Elle permet de faire prendre une décision à partir d'un choix décidé par le questionneur.

Si le vendeur dit à son client : « *Alors qu'est-ce que vous faites ?* » Il n'aide pas le client à faire son choix et renforce son hésitation. Celui-ci risque avec de fortes probabilités de lui répondre : « *Écoutez, je ne suis pas décidé. Je verrai cela à votre prochain passage* ». Par contre si le vendeur lui dit : « *Que préférez-vous ? En recevoir deux douzaines, ce qui vous permettra d'assurer la demande et de ne pas perdre des ventes ou d'en prendre tout de suite six douzaines pour vous permettre de bénéficier de la remise maximum ? Pour vous aider et favoriser la demande je peux mettre à votre disposition un présentoir de comptoir que l'on installerait par exemple ici... ou là. A quel endroit vous semble-t-il le plus attractif ? »*

Ce type de questions s'emploie fréquemment en début et en fin d'entretien.

En début d'entretien pour faire préciser les besoins du client et pour lui montrer que le vendeur parle de ses problèmes dans son langage.

« Quels sont les deux aspects qui vous posent le plus de problèmes : former vos techniciens ou devoir faire changer ses habitudes à votre clientèle ? »

En fin d'entretien, elle permet de faire une synthèse en reformulant les avantages qui ont paru les plus forts au client et à l'engager à prendre une décision.

« Parmi les trois avantages suivants :

— la maniabilité,

— la rapidité d'action,

— ou la bonne tolérance.

Quel est celui qui vous séduit le plus ? »

Le client répond par l'un ou l'autre de ces avantages.

« Dans ces conditions vous comptez l'utiliser chez des malades dont les traitements précédents n'ont pas donné de résultats ou chez un nouveau malade ? »

Les questions alternatives doivent, malgré leur intérêt, être maniées avec prudence car elles risquent d'être perçues par votre interlocuteur comme une tentative de téléguidage ou de manipulation.

5. — *La question en retour.*

Elle redonne au client qui vient de poser une question le soin de donner la réponse.

Répondre trop rapidement à un client ne permet pas souvent de donner la réponse adéquate car le vendeur ne connaît pas toujours les raisons pour lesquelles le client la pose.

Ainsi s'il dit « *Est-ce que ça se détraque ?* », le vendeur peut répondre « *Non, bien sûr, nous avons renforcé la coupelle près de la fixation et nous n'avons maintenant pratiquement plus d'ennui...* » « *Tiens, tiens, tiens !* » pense le client « *Voilà quelque chose à laquelle je n'avais pas pensé...* » De plus il n'a pas eu la réponse à sa question.

Le vendeur eut été plus habile s'il avait dit « *Pourquoi me posez-vous cette question ?* »

Les avantages :

a) Le vendeur va connaître les vraies raisons qui motivent la question du client et pouvoir répondre en meilleure connaissance de cause.

— « *Pourquoi me posez-vous cette question ?* »

● « *Et bien, des amis l'ont utilisé et n'en ont pas été très contents.* »

Le vendeur sait maintenant qu'il s'agit d'une simple rumeur et qu'il va falloir rassurer ce client, qu'il n'y a pas un point précis sur lequel porte l'interrogation et que son appareil n'est peut-être pas en cause. Il va introduire le doute chez son client et passer pour quelqu'un de sérieux qui au lieu de vanter les qualités de sa marchandise cherche à approfondir le problème :

— « *Ils n'ont pas été très contents. Est-ce avec cet appareil, de ce nouveau modèle ou avec un appareil de ce type chez un autre fabricant ?* »

Aïe ! Le client ne sait pas.

● « *Effectivement, ce n'est peut-être pas cet appareil* », pense le client.

b) Le client pose souvent des questions mais il connaît la réponse. Il veut seulement s'en assurer et être rassuré. Donner le soin au client de répondre est d'autre part valorisant.

— « *Est-ce que ça va se vendre ?* » dit le client.

— « *Qu'en pensez-vous, vous-même*, répond le vendeur, *vous qui êtes connu sur la place pour avoir pas mal de flair et pour avoir réussi à lancer*

La question en retour

et à implanter plusieurs produits, parfois difficiles ? Plus difficiles que celui-ci en tout cas. »

c) La question en retour permet encore au vendeur de réfléchir et de percevoir derrière la question posée l'objection éventuelle qui peut se cacher.

● *« Peut-on le laver en machine ?*

— *Pourquoi me posez-vous la question ?*

● *« Et bien parce que j'ai acheté dernièrement un pull soi-disant irrétrécissable, et à ma grande surprise, il avait perdu au moins trois tailles. »*

Le danger majeur de la question en retour est de donner au client un sentiment de fuite surtout si elle est répétée trop souvent dans l'entretien ou si la question est trop précise pour que l'on puisse la retourner. Imaginez la tête de ce chimiste qui demanderait *« Combien y a-t-il de milligrammes de magnésium dans cette préparation ? »*, et à qui l'ingénieur technico-commercial répondrait : *« A votre avis, combien en a-t-on mis ? »*

6. — *La question généralisée.*

La question généralisée évite d'interroger d'une manière trop directe ou trop personnelle son interlocuteur. Elle consiste à s'adresser à lui comme s'il était représentatif d'un groupe plus large dont il connaîtrait le point de vue. Il aura tendance soit à répondre par sa propre opinion, sans qu'on ait à la lui demander trop directement, soit s'il donne celle du groupe, à se situer par rapport à elle.

— *« Que pense-t-on autour de vous de l'utilisation de produits ammoniaqués pour le nettoyage des cuves ? »*

Cette question devrait permettre à ce client de s'exprimer plus facilement, plus longuement sur ce sujet et d'apporter les précisions dont le vendeur a besoin pour savoir, sous quel angle conforme aux attentes du client, présenter son produit.

L'inconvénient de cette question est que le client, valorisé de devoir donner le point de vue d'un groupe dont il serait le porte-parole, risque de prendre des positions fortes issues de son imagination, ou de gonfler son propos par ruse, pour jouer un mauvais tour au vendeur et voir comment il s'en sortira.

Les questions sont donc le moyen le plus simple et le plus sûr pour faire parler son interlocuteur... à condition, évidemment, de savoir les formuler et ensuite de savoir écouter les réponses.

Est-ce bien tout ?

Non ! Il faut savoir encore SE TAIRE.

Dur. Dur. Plus dur à dire qu'à faire. Écouter et se taire. C'est à la qualité de l'écoute que se jauge le vendeur de qualité qui porte une attention soutenue aux paroles de son interlocuteur.

Cette volonté de **Saisir l'essentiel,** à travers les propos, souvent confus, de celui qui s'exprime, propos parfois entrecoupés d'hésitations, de silences, de redites, demande à la fois une réelle concentration d'esprit et une volonté bien affirmée d'écouter, de comprendre, de retenir l'attente du client.

Cette écoute attentive du vendeur professionnel, son interlocuteur doit la percevoir, la ressentir, la vivre.

L'attitude du vendeur, le regard qu'il porte sur celui qui parle,... autant d'indices qui traduisent son intention profonde de communiquer.

Apprenons à discerner les mots clés de notre interlocuteur, ces mots qui résument l'essentiel de son propos, mots qui, notés, permettent sans effort de restituer fidèlement le contenu réel d'un entretien.

Gravons-les dans notre mémoire pour les réutiliser ; ces mots de notre interlocuteur, lorsque nous formulons ce qu'il vient de dire. La reformulation des propos de notre interlocuteur dans son langage, lui montre clairement l'intérêt que l'on porte à ce qu'il dit : preuve d'empathie favorable à un bon climat de compréhension.

Mais toutes ces façons de poser les questions, d'aborder son interlocuteur, de s'adresser à lui, ne sont pas les seules clés de la réussite d'une négociation. Il est d'autres moyens pour découvrir les besoins et pour relancer le dialogue dont on va passer en revue les plus importants...

22. *La relance du dialogue.*

1. — *Les silences.*

Pourquoi s'empresser de prendre la parole dès que notre interlocuteur cesse de parler ?

Est-on persuadé qu'il a effectivement terminé d'exprimer son idée, que ce silence n'est pas pour lui une pause nécessaire avant de poursuivre son raisonnement, d'exprimer plus en profondeur son idée ?

Le silence de l'autre est toujours trop long pour celui qui écoute et souvent trop court pour celui qui parle.

Astreignons-nous à donner à un entretien, par des silences plus longs, le rythme agréable d'une conversation plutôt que celui très enlevé d'un interrogatoire d'identité mené par un fonctionnaire modèle.

2. — *La phrase inachevée.*

C'est la phrase dont la fin n'est pas formulée car, en communication orale, le jeu de physionomie, un geste, une attitude, un regard... la termine.

Cette phrase inachevée, l'interlocuteur la reprend au vol et enchaîne donnant ainsi sa façon de penser ou de voir les choses à partir d'une question ou d'une phrase dont le sens a été plus suggéré qu'exprimé.

3. — *La relance.*

Cette technique consiste à répéter sur un ton interrogatif le dernier mot de la phrase de notre interlocuteur, ceci pour l'amener sans poser une question à s'exprimer davantage, à nous en dire plus.

Bien maîtrisée, elle montre clairement à notre interlocuteur que nous suivons ses propos et qu'ils nous intéressent au plus haut point.

4. — *Donner le point de vue d'une autre personne.*

Sur un sujet donné, rapporter un fait vécu pour que notre interlocuteur situe son opinion par rapport à celle qui a été énoncée.

Le silence

J'écoute et je me tais!
Je tente de saisir l'essentiel des propos exprimés. Ca me demande une réelle concentration d'esprit et une volonté farouche.

Mon interlocuteur doit percevoir, ressentir, vivre, mon écoute attentive.

J'essaie de discerner les mots-clés de son discours dans l'intention de communiquer.

Je les grave dans la mémoire ces mots, pour les réutiliser dans son langage.

Je suis vraiment favorable à un bon climat de compréhension mutuelle..

5. — *La reformulation.*

C'est un bon moyen pour montrer à notre interlocuteur que ce qu'il a dit a bien été perçu et assimilé. Il consiste à répéter de temps en temps, l'essentiel de son propos :

— soit pour marquer une pause, une étape dans la progression de l'entretien ;

— soit pour résumer ce qui vient d'être longuement développé ;

— soit pour recentrer sur le thème en cas de digression.

Pour illustrer cette technique, voici une négociation entre un quincailler et un acheteur, rapportée par... Alphonse Allais :

Le Monsieur : *Bonjour, Monsieur.*

Le Quincailler : *Bonjour, Monsieur.*

Le Monsieur : *Je désire acquérir un de ces appareils qu'on adapte aux portes et qui font qu'elles se ferment d'elles-mêmes.*

Le Quincailler : *Je vois ce que vous voulez, Monsieur. C'est un appareil pour la fermeture automatique des portes.*

Le Monsieur : *Parfaitement ! Je désire un système pas trop cher.*

Le Quincailler : *Oui, Monsieur, un appareil bon marché pour la fermeture automatique des portes.*

Le Monsieur : *Et pas trop compliqué surtout.*

Le Quincailler : *C'est-à-dire que vous désirez un appareil simple et peu coûteux pour la fermeture automatique des portes.*

Le Monsieur : *Exactement. Et puis, pas un de ces appareils qui ferment les portes si brusquement...*

Le Quincailler : *... qu'on dirait un coup de canon ! Je vois ce qu'il vous faut : un appareil simple, peu coûteux, pas trop brutal, pour la fermeture des portes.*

Le Monsieur : *Tout juste. Mais pas non plus de ces appareils qui ferment les portes si lentement...*

Le Quincailler : *... qu'on croirait mourir ! L'article que vous désirez, en somme, c'est un appareil simple, peu coûteux, ni trop lent, ni trop brutal, pour la fermeture automatique des portes.*

Le Monsieur : *Vous m'avez tout à fait compris. Ah ! et que mon appareil n'exige pas, comme certains systèmes que je connais, la force d'un taureau pour ouvrir la porte.*

Le Quincailler : *Bien entendu. Résumons-nous : ce que vous voulez, c'est un appareil simple, peu coûteux, ni trop lent ni trop brutal, d'un maniement aisé, pour la fermeture automatique des portes.*

... le dialogue continue encore...

Le Monsieur : *Eh bien ! Montrez-moi un modèle.*

Le Quincailler : *Je regrette, Monsieur, mais je ne vends aucun système pour la fermeture automatique des portes !*

Ces techniques dont l'éventail est important ont pour objet de transformer ce qui pourrait être un interrogatoire sec en un dialogue agréable pour les deux partis.

Elles ne valent rien si elles sont appliquées sans discernement et si elles ne sont pas mises, avec rigueur, au service de l'objectif fixé.

Faire parler notre interlocuteur pour discerner dans ses propos ses besoins, ses attentes, ses motivations. Bien les connaître, en apprécier leur portée pour mieux convaincre et montrer que notre offre correspond à sa demande.

- Les expressions trop personnelles.
- Les expressions impersonnelles.
- Les verbes au conditionnel.
- Les adverbes, les généralités, les affirmations vagues.
- Les mots qui ramollissent vos propos.
- Les mots qui noircissent.
- Les exagérations.

Troisième condition essentielle : SAVOIR ARGUMENTER

Les attentes, les motivations, les besoins du client détectés, il faut maintenant choisir l'argument qui fera mouche.

Réciter l'ensemble des arguments que possède notre produit, c'est faire de l'information. Mettre en valeur l'argument qui séduira, c'est à coup sûr se donner une chance de réussir sa vente.

Mais quel est le bon argument qui touche au but ?

C'est celui qui, s'appuyant sur les besoins réels du client, fait en sorte que celui-ci :

— l'écoute,

— le comprenne,

— l'accepte,

— le retienne,

— le transforme en action.

En d'autres termes, il ne suffit pas qu'un argument soit compris, il faut qu'il exerce sur celui qui l'écoute une influence réelle et l'incite à l'action.

Convaincre son interlocuteur nécessite que soit respecté, un certain nombre de règles...

31. *Les 10 règles d'or de l'argument qui fait mouche...*

Le bon argument, efficace parce qu'il fait mouche, c'est celui qui...

1. — Répond aux attentes du client et prend en compte les attentes de l'utilisateur final (Pour bien convaincre, bien connaître).

L'argument sans preuve...
c'est la poignée sans la valise

2. — Est exprimé dans le langage du client et est mis en valeur par des techniques d'expression orale (Chassez le jargon et gardez-vous des mots à charge négative).

3. — S'appuie sur des faits et des chiffres qui apportent la preuve qu'il ne s'agit pas d'une affirmation gratuite. L'appel aux faits répond au désir de prouver (L'argument sans preuves... c'est la poignée sans la valise).

4. — Est soutenu par des visuels : photos, graphiques, échantillons, démonstration... Faire participer plutôt que faire subir (Donnez-leur à voir et à toucher).

5. — S'enchaîne avec logique. De l'idée aux faits ou des faits à l'idée, le lien entre l'argument développé et l'attente du client apparaît clairement (La logique est la science de la preuve).

6. — Est présenté avec objectivité dans le souci d'amener le client à la proposition qui lui est faite plutôt que celui de la lui imposer à tout prix (Une bonne preuve ne s'assène pas. Elle s'impose d'elle-même).

7. — Est celui dont l'impact est en permanence contrôlé par l'observation attentive des réactions du client et par des questions sondages (Argumenter n'est pas monologuer).

8. — Est personnalisé. Ce qui conduit tout interlocuteur au changement, ce n'est pas l'assurance que le produit est bon ; c'est la certitude qu'il est bon... pour lui (Transformez l'argument technique exprimé en « c'est fait de » en avantage client exprimé en « c'est fait pour »).

9. — Arrive au bon moment... Attendu, souhaité par un interlocuteur qui n'est pas submergé sous un flot de problèmes et une avalanche d'affirmations gratuites (Au flot d'arguments, préférez le goutte à goutte).

10. — Est celui dont il est facile de dramatiser les conséquences désastreuses (Augmentation des coûts, chute des performances...) lorsque le client le repousse catégoriquement.

32. *Comment « avancer » un argument.*

1. — Avant de se lancer avec fougue dans son argumentation, le vendeur doit s'assurer qu'il a bien cerné les attentes de son interlocuteur : il en reformule l'essentiel.

Reformulation d'autant plus réussie qu'elle aura exprimé les idées du client, dans son langage, qu'elle aura repris ses chiffres et, si cela s'avère possible, qu'elle aura dramatisé la situation pour le rendre davantage encore, demandeur d'une solution.

2. — Partir de l'avantage qu'apporte au client la solution proposée. Apporter la ou les preuves que ce que vous venez d'affirmer est vrai. Ensuite énoncer la caractéristique technique (Confer le quatrième principe fondamental : « Commencez par les avantages avant d'avancer les caractéristiques techniques »).

33. *Comment « fortifier » un argument.*

Un argument n'a de valeur qu'en fonction des preuves. Ce sont elles qui lui donnent de sa force... ou de sa fragilité. Cinq familles de preuves, de nature différente sont à la disposition du vendeur.

1. — *L'appel à la confiance.*

Il repose sur les relations que le client entretient depuis de longues années avec le vendeur, la société qu'il représente ou image de marque.

— *« Vous savez très bien que vous pouvez me faire confiance, Monsieur Marot, si je vous affirme qu'il vous donnera entière satisfaction. »*

— *« Croyez-vous que notre société se serait lancée dans une telle opération sans avoir testé avec soin ce matériel ? Croyez-vous qu'elle aurait pris le risque de détruire une confiance consolidée par tant d'années de collaboration entre elle et vous ? »*

2. — *La preuve par la référence.*

Elle fait appel à la caution de tous ceux qui ont adopté la solution et s'en déclarent satisfaits. Plus les preuves sont nombreuses, plus les références sont prestigieuses et plus son poids devient important.

— *« L'an dernier trois constructeurs sur quatre ont adopté ce système, ça ne peut être un hasard... »*

— *« Dans votre région, c'est la dixième installation de ce type que nous faisons, à l'entière satisfaction de nos clients. »*

— « *Les travaux du Pr Untel, sont-ils pour vous une référence ?*

• *Oui, bien sûr.*

— *Eh bien, il a expérimenté le produit sur 645 patients. Voici les résultats...* »

3. — La preuve par le vécu.

Elle prend appui sur des résultats d'application chiffrés, sur des faits précis, sur des données comparatives. Elle est soutenue par des graphiques, des courbes, des échantillons, des démonstrations.

— « *Vous voyez ce morceau de pneu. Sur combien de kilomètres d'après vous a-t-il roulé ?*

• *Il ne semble pas très usé en surface et les flancs ne sont que légèrement fendillés. Au hasard, je pencherais pour 20 à 30 000 km.*

— *C'est un des pneus que nous avons installés sur nos camions de livraison. Il a parcouru exactement 55 000 km. Il aurait pu faire plus encore* ».

— « *Lors du lancement de notre dernier produit, vous souvenez-vous du nombre de colis que vous aviez vendus dans les 6 mois qui ont suivi ?*

• *Non pas très bien. Je sais que j'ai eu des difficultés à le faire accepter à la clientèle au début. Il a très bien marché par la suite ; maintenant il est un peu tombé.*

— *J'ai là votre fiche. Vous en aviez fait 580 colis dans les six premiers mois. Avec des difficultés au départ, vous m'avez dit. Il est donc raisonnable de penser que vous ferez beaucoup mieux avec celui-ci puisqu'il bénéficie en plus...* »

4. — La preuve par analogie.

Elle est assez semblable à la précédente mais basée sur des solutions voisines à celles que l'on propose au client et dont la société n'a pas encore de référence. Elle est surtout valable pour les offres de société d'ingénierie ou de services.

— « *Nous avons organisé un voyage en Tunisie pour les 150 plus gros clients de l'entreprise Argnier. La solution était assez voisine de celle que vous désirez avec pourtant certaines complexités. Le client a été pleinement satisfait et nous devons renouveler l'opération. Voilà comment nous avons procédé...* »

— « *Nous n'avons jamais équipé d'établissements hospitaliers mais nous avons déjà une expérience très vaste dans l'équipement d'hôtels. Tenez, au Magestic qui se trouve à 500 mètres de chez vous et où le nombre de passages est très important, nous avons pu faire chuter le nombre d'arrêts pour panne de 5 à 1.* »

5. — *La preuve par la déduction.*

C'est la transposition d'essais menés en laboratoire, au cas réel soumis par le client.

— « *Logiquement rien ne s'oppose à ce que ça marche.* »

— « *Le produit a été testé sur des chiens et des rats pendant deux ans à des doses dix fois supérieures à celles proposées. Aucune anomalie n'a été constatée.* »

— « *Les contrôles en soufflerie par des vents simulés dépassant 180 km à l'heure ont permis de constater que les déviations ne dépassaient pas un dizième de millimètre par mètre.* »

34. *Comment « donner des couleurs à vos arguments ».*

Vos arguments quelle qu'en soit leur force ont besoin pour être mis en valeur d'être mis en relief, de prendre des couleurs. Ils ont besoin d'être appétissants, de séduire. Ils doivent s'animer et prendre vie.

Voyons, pour les rendre attractifs aux yeux du client, comment les habiller et les présenter :

1. — *Les émailler d'exemples.*

Exemples, anecdotes, incidents. Les clients aiment le concret, le vécu, le vivant. Ils préfèrent les situations réelles aux idées.

Les exemples doivent être vrais, ils doivent raconter une histoire et contenir une action.

2. — *Faites une démonstration.*

Montrez. Faites voir. Faites toucher. Actionnez. La démonstration permet d'interrompre l'exposé et de remplacer les mots par de l'action. Elle permet de mettre vendeur et client côte à côte et non plus face à face.

3. — *Répétez.*

Répétez les mots que le client veut entendre car ils correspondent à ses attentes. Les mettre en valeur, surtout lorsqu'ils s'appuient sur ses motivations. Les encastrer entre deux silences, les prononcer avec intonation plus marquée, calmement, les renforcer par un geste, une attitude, un regard...

4. — *Visualisez vos propos.*

On se souvient mieux de ce que l'on a vu et entendu que de ce que l'on a seulement entendu. Soutenez par un visuel l'argument que vous avancez. Montrez la page du catalogue qui illustre votre démonstration. Faites un croquis. Écrivez un chiffre.

5. — *Adaptez votre argumentation aux réactions du client.*

Observez les réactions du client. Il fronce les sourcils. Avez-vous été assez clair ? Peut être est-il préférable de reprendre l'argument et de le développer autrement. Il s'impatiente. N'êtes-vous pas en train d'en dire trop et de ne plus l'intéresser ?

Ne déballez pas l'ensemble de vos arguments en quatrième vitesse. Ralentissez quand vous voulez en mettre un en valeur. Sachez alterner arguments faibles et arguments forts. On a toujours intérêt à démarrer et à terminer par un argument fort.

6. — *Posez des questions de contrôle et faites des synthèses partielles.*

Vérifiez qu'il vous suit, qu'il accepte ce que vous dites, qu'il est convaincu. De temps en temps posez une question de contrôle pour vérifier qu'il n'a pas une objection qu'il n'exprime pas et qui risque de le bloquer. Marquer son accord en lui posant les questions qui l'amènent à dire OUI. A chaque étape de la démonstration, résumez les points forts et montrez que tout ce qui a été dit jusque-là correspond à ce qu'il en attendait.

7. — *Soyez enthousiaste.*

« Faire ennuyeux » n'est probablement pas le meilleur moyen de donner envie au client d'acheter. Il hésite, il se pose des questions, il veut être rassuré. Il attend de vous d'être convaincu. On ne vend que

Faites une démonstration

ce à quoi on croit. Être enthousiaste veut dire : croire à son produit et le montrer, être calme, détendu, souriant, s'engager personnellement dans ses affirmations. L'enthousiasme est convaincant et provoque en retour l'adhésion de notre client. La tièdeur n'amène qu'indifférence ou ennui.

8. — *Dramatisez.*

En cas d'échec, le moment est peut-être venu de faire pression sur lui en dramatisant la situation, de souligner les conséquences désastreuses d'une décision repoussée à plus tard.

Exprimez les en termes :

— de dépenses supplémentaires (les économies annoncées ne seront pas réalisées),

— d'insécurité,

— de manque à gagner,

— d'occasion unique, perdue, etc...

9. — *Rassurez.*

Au fur et à mesure de votre démonstration le client prend conscience qu'il devient convaincu. Il a peur de l'être trop rapidement, de prendre une décision hâtive, d'oublier une objection majeure. Il résiste. Il objecte. Il retarde le moment de la conclusion. Employez alors les attitudes et les mots qui rassurent : garantie, certitude, preuves. Enrichissez les mots par des adjectifs qui renforcent l'aspect SÉCURITÉ.

Exemple : Absolue certitude. Preuves solides. Totale garantie. Assurance entière...

Ou des adjectifs et un adverbe tous deux rassurants.

Exemple : Matériel parfaitement adapté. Qualité rigoureusement constante. Protection longuement éprouvée.

10. — *Parlez à l'indicatif présent ou futur immédiat*

Le conditionnel est abstrait. Il donne au client le sentiment qu'il n'est pas concerné. L'achat est hypothétique. Le présent par contre engage plus directement l'interlocuteur.

Ces 10 manières de donner des « couleurs » à vos arguments ont trois objectifs :

— convaincre,

— intéresser,

— rassurer.

Elles doivent donc réduire :

— la position de défense *a priori* du client,

— le scepticisme qui le porte à mettre en doute l'information qui lui est transmise,

— l'hésitation de ne pas faire le bon choix.

Cette triple résistance sera d'autant moins forte que l'argumentation aura été de bout en bout participative et que le client n'aura pas le sentiment d'un déballage incontinent d'arguments trop bien mis en scène et mille fois répétés.

35. *Les fils de fer barbelés de l'argumentation.*

Ce sont tous les mots, qui égratignent le client, le mettent mal à l'aise, l'indisposent. Ce sont les expressions parasites qui empoisonnent votre propos, lui donnent une saveur fielleuse, le font rejeter avec suspicion. Ce sont les attitudes qui déclenchent la méfiance, l'inquiétude ou l'agressivité.

Apprenons à repérer ces bons amis qui nous veulent du mal et ensuite essayons de nous en débarrasser. Ils nous encombrent, nous freinent, nous alourdissent et parfois même nous font... de sacrés crocs en jambe.

Ce sont :

1. — *Les expressions à charge négative :*

— *Ne voulez-vous pas ?*

— *Ne pensez-vous pas ?*

— *Ne croyez-vous pas ?*

— *Vous n'en voulez pas ?*

— *Vous semblez ignorer que...*

Leur préférer des mots à charge POSITIVE.

2. — *Les expressions « épouvantail » :*

Qui contrent le client et s'opposent à ce qu'il dit :

— *Pas d'accord.*

— *Vous faites erreur.*

— *Vous n'y êtes pas.*

Soyez NEUTRE.

3. — *Les expressions dubitatives :*

Qui atténuent la force des arguments et font naître un doute dans l'esprit du client.

— *Je pense, je crois...*

— *Il me semble que...*

Exprimez des CERTITUDES.

4. — *Les expressions trop personnelles :*

Qui vous mettent au centre de la conversation et qui laissent le client sur le côté.

— *A mon avis...*

— *J'estime, je trouve...*

Mettez le client au centre de la VENTE. Parlez au VOUS.

5. — *Les expressions impersonnelles :*

Qui donnent l'impression au client que personne et tout le monde est responsable.

— *On fera l'impossible.*

— *La réclamation sera transmise à qui de droit.*

6. — *Les verbes au conditionnel :*

Qui ne favorisent pas l'engagement du client.

— *Si vous aviez à le prendre.*

— *Si vous vouliez un jour faire l'essai.*

— *Nous pourrions peut-être.*

Parlez au PRÉSENT. C'est le temps de l'action. Il anticipe la possession.

7. — *Les adverbes, les généralités et les affirmations vagues.*

Qui donnent une impression de flou.

— *Ça agit vite.*

— *On en a vendu énormément.*

— *Un grand nombre d'appareils ont pourtant été installés.*

Exprimez-vous par des faits PROBANTS.

8. — *Les mots qui ramollissent vos propos et les rendent inconsistants :*

— *Croyez-moi.*

— *Faites-moi confiance.*

— *Laissez-moi vous dire.*

— *Nous pourrions faire un petit essai.*

Soyez DIRECT.

9. — *Les mots qui noircissent et inquiètent le client.*

— *Je reconnais que c'est une dépense importante.*

— *Votre objection.*

— *Ce n'est pas une mauvaise affaire.*

Remplacez-les par des mots VALORISANTS.

10. — *Les exagérations.*

Qui diminuent votre crédibilité et émoussent votre sincérité.

— *Nous n'avons jamais eu une seule réclamation.*

— *Les clients se les arrachent.*

Citez vos faits avec EXACTITUDE.

4 SAVOIR UTILISER LES OBJECTIONS COMME APPUI A L'ARGU-MENTATION

41. *Les trois sortes d'objection.*

42. *Les 4 règles principales pour répondre aux objections :*
- Laisser l'objection s'exprimer.
- Poser une question.
- Ne pas dire qu'il a tort.
- Répondre brièvement et enchaîner sur un autre argument.

43. *Les 8 recommandations pour utiliser efficacement les objections comme appui.*
- Ne jamais discuter.
- Ne traitez pas à la légère les objections de fond.
- Utilisez les « phrases-dunlopillo ».
- Utilisez « Pourquoi ».
- Remettez à plus tard certaines objections non fondées.
- Ne perdez pas votre temps à traiter les objections non sincères et non fondées.
- Ne vous bloquez pas sur une objection difficile.
- Faites trouver la solution au client.

44. *Les 8 techniques particulières pour répondre aux objections.*
- Reformulez l'objection sous forme de question.
- La méthode de l'appui.
- La méthode préventive.

- La méthode du « oui... mais ».
- Atténuer l'objection.
- La méthode du silence.
- La méthode interrogative.
- Le témoignage.

Quatrième condition essentielle :
SAVOIR UTILISER LES OBJECTIONS COMME APPUI A L'ARGU-MENTATION

Les objections sont utiles à l'argumentation. Elles nous permettent de connaître les préoccupations, les besoins, les centres d'intérêt du client. Comment savoir ce qui l'inquiète, ce qu'il ne comprend pas, ce qui le heurte s'il ne l'exprime pas ?

Les objections sont des réactions naturelles, un signe d'intérêt. Le vendeur ne doit pas en avoir peur. Au contraire, il doit les chercher, les solliciter, les faire apparaître pour pouvoir avancer dans son argumentation.

Si le client ne manifeste aucun signe, aucune réaction, sur quoi vont porter les efforts du vendeur ? Devra-t-il dérouler tout ce qu'il sait du produit et de son utilisation ? Devra-t-il le faire sur tous les produits de sa gamme ?

Un client qui ne fait aucune objection est rarement intéressé. S'il songe à l'achat, il songe également aux raisons qui s'opposent à cet achat. Il va donc résister, émettre des doutes. Plus la tension va monter, plus le client fera des objections fortes. En fait, les objections sont souvent soit des interrogations déguisées soit le signe qu'il résiste à son envie de céder, d'être convaincu.

Le silence du client c'est un entretien sans vie. Les objections du client c'est la santé de la négociation.

Réfléchissons ensemble aux raisons pour lesquelles un client peut faire des objections :

— il n'est pas convaincu,

— il n'a pas compris,

— il a des *a priori*,

— il a des préjugés,

— il résiste par principe,

— il a peur de se faire avoir,

— il a besoin de s'affirmer,

— il veut montrer qu'il connaît de quoi il parle,

— par esprit de contradiction,

— pour s'amuser,

— pour mettre le vendeur dans l'embarras,

— pour en savoir plus,

— pour être rassuré,

— etc...

41. *Les trois sortes d'objection.*

On pourrait prolonger cette liste longtemps encore. Retenons en fait qu'il y a trois sortes d'objection.

— *Les objections non sincères et non fondées.*

Ce sont souvent des prétextes, des fausses raisons. Elles sont sans fondement logique. Quand le client les émet en début d'entretien, c'est qu'il résiste à l'idée d'acheter, sans raison précise particulière. On les rencontre également vers la conclusion quand le client sent qu'il est à bout d'objection, que rien ne s'oppose à l'achat et qu'il veut résister encore.

On verra plus loin qu'il n'y a pas lieu de les prendre en compte et la meilleure manière de les traiter est de les ignorer. Si l'on veut démontrer à tout prix par exemple que le client a du temps alors qu'il dit ne pas en avoir, on prend le risque de le voir multiplier les justifications et de provoquer un conflit d'opinion, sans fondement.

— *Les objections sincères et non fondées.*

Ce sont celles qu'il émet soit parce qu'il n'a pas compris, n'est pas convaincu, est persuadé du contraire, a eu des expériences antérieures malheureuses, etc... soit parce qu'il a des idées reçues, des préjugés, des opinions toutes faites.

Dans le premier cas, il faut reprendre l'argumentation, expliquer, donner des preuves, rassurer. Le tout avec calme, sans opposition, sans lui montrer qu'il a tort.

Les idées reçues, les *a priori*, les préjugés sont plus difficiles à traiter car ils ne sont pas objectifs. Ils reposent sur des croyances non fondées. Ce n'est pas par la raison qu'il faut les démonter.

— *Les objections sincères et fondées.*

Si votre produit avait toutes les qualités désirées et au meilleur prix, il y aurait de fortes chances qu'il se trouverait en situation de monopole de fait. Or votre produit même s'il est excellent ne présente pas tous les avantages, les caractéristiques ou les qualités que le client aimerait lui voir posséder : il est long, il aimerait qu'il soit plus court ; il est léger, il aimerait le voir lourd ; il est démontable, il aimerait le voir fixe et s'il était fixe, il le désirerait peut-être démontable. Il est donc tout à fait normal que le client fasse des objections sincères et fondées.

La méthode la plus simple, la plus naturelle pour y répondre est de reconnaître que votre produit ne possède pas ce que le client en exige mais que par contre il possède d'autres qualités qui contrebalancent bien avantageusement ce qui lui manque.

A l'évidence l'objection est utile et il faut savoir l'utiliser. L'objection nous dit ce que le client craint. A nous d'enlever ses craintes. Elle nous dit ce qu'il n'a pas compris. A nous de lui expliquer de nouveau. Elle nous dit encore que malgré les craintes levées et les explications données, il n'est toujours pas convaincu. A nous de provoquer le désir. Les objections sont donc des signaux, des balises qui nous obligent à orienter notre entretien, à diriger notre conviction vers les centres d'intérêt du client. Les deux erreurs les plus fréquentes à ne pas faire sont :

1. — De fuir les objections ou de tout faire pour qu'elles n'apparaissent pas.

2. — De les contrer, de les réfuter.

Voyons comment y répondre, comment les traiter, comment faire, alors qu'elles vont parfois, à l'encontre du but que l'on recherche, pour les utiliser à notre profit.

Cette méthode comporte 4 règles principales et 8 recommandations.

42. *Commençons par les 4 règles :*

1. — *Laisser l'objection s'exprimer.*

Tant que le client a la moindre objection en tête qui n'est pas résolue, il y a peu de chances que la vente se fasse. Or cette vente ne se fera que lorsque le vendeur aura répondu à toutes les objections, tous les freins qui empêcheraient le client d'acheter.

Il faut donc chercher l'objection mais aussi la laisser s'exprimer, en totalité. Tant que le client ne l'a pas entièrement énoncée elle gardera une charge négative très forte. La laisser s'exprimer lui fait perdre de sa force explosive. La laisser s'exprimer en totalité veut dire :

a) *Qu'il ne faut pas couper la parole au client* dès qu'il commence à émettre son objection par un « *Je sais ce que vous allez me dire* ». Laisser croire au client qu'il est intelligent, que son point de vue est plein d'à-propos et que sa remarque est intéressante.

b) *Que l'objection émise peut en cacher une autre,* plus importante que la première qui n'était peut-être, elle, qu'une fausse barbe, un prétexte. Ménagez un temps de silence à la fin de l'objection en regardant intensément le client dans les yeux, les sourcils légèrement froncés et en hochant la tête comme si vous réfléchissiez avec attention à ce qu'il vient de dire. Cette attitude vous permettra de maintenir le silence pendant plusieurs secondes. Très souvent le client encouragé par le fait que vous n'avez pas la réponse toute prête, que vous ne vous êtes pas précipité pour le contredire, reprendra la parole pour expliciter son objection, donner des détails, vous faire comprendre les raisons qui la motivent ou pour émettre l'objection de fond cachée par la première.

Prenons un exemple :

Un père veut acheter un jouet à son fils. Le vendeur lui présente un petit sous-marin à piles. Le père le regarde sous tous les angles,

Laisser l'objection s'exprimer

l'ouvre, le démonte et le repose sur le comptoir en disant : « *C'est fragile* ». Le vendeur peut se lancer dans une explication très savante pour montrer que ce n'est pas fragile, que c'est étudié pour, que patati, que patata. Il ne fera que renforcer les défenses de ce père qui trouvera toujours des justifications pour maintenir son opinion et pour démontrer au vendeur qu'il a raison.

Le vendeur (qui a sûrement suivi des cours de vente), écoute donc le client dire « *C'est fragile...* » et se tait. Il hoche légèrement la tête, regarde le sous-marin, regarde le client, revient sur le sous-marin. Le client se décide et dit : « *Chaque fois que j'achète des jouets en plastique, ils ne durent que quelques jours, voire quelques heures* ». Et voilà ! L'objection véritable vient d'apparaître. Elle dit : « *Je ne sais pas si ce jouet est fragile mais des expériences antérieures m'ont prouvées que des jouets de ce type étaient fragiles* ».

Au vendeur, maintenant, de démontrer non pas que le sous-marin est solide mais qu'il est différent (d'une autre matière, d'une autre conception...) des autres jouets achetés par ce client.

De plus en laissant l'objection s'exprimer, elle s'est d'elle-même dégonflée. Au moment où le client verbalisait son objection, il prenait lui-même conscience que son inquiétude, se référant à des expériences malheureuses, n'était peut-être pas fondée dans ce cas précis.

c) *Qu'il faut écouter l'objection avec respect.*

Le client objecte. C'est donc qu'il n'est pas indifférent. L'objection vous paraît-elle futile, dérisoire, ridicule ? Elle l'est sûrement pour vous, probablement pas pour lui. Il n'est pas bon de la traiter par le mépris. Et ce que vous gagnez rationnellement, vous le perdez psychologiquement. Rappelez-vous que l'achat de tout objet est une somme de conviction nourrie d'éléments rationnels et affectifs.

2. — *Poser une question.*

Le fait de poser une question présente de nombreux avantages :

— Le vendeur en saura plus sur l'objection. Le client donnera des détails et les raisons qui ont motivé l'objection.

— Le client se rendra compte que le vendeur, au lieu de répliquer du tac au tac comme il s'y attend, essaye d'approfondir sa remarque ;

qu'il n'en a pas peur et qu'il cherche à la comprendre pour tenter de lui donner une solution.

— Poser une question, calmement, dépassionne le conflit potentiel latent et fait perdre de la force à l'objection qui se dégonfle petit à petit.

3. — *Ne pas dire qu'il a tort.*

Il est inutile de perdre du temps à s'efforcer de convaincre le client qu'il a tort, il n'en sort rien de positif.

D'une part vous devenez à ses yeux antipathique et d'autre part vous ne faites que le conforter dans sa conviction que c'est lui qui a raison.

Le mieux est d'être neutre « *Je comprends votre point de vue* » ou « *votre remarque est intéressante* ».

Vous désarmez ainsi son agressivité et vous n'entrez pas en conflit avec lui. Vous ne pouvez que perdre à vous affronter au client. Mais, me direz-vous, peut-on à chaque fois rester neutre, dire « *Je comprends votre point de vue* » alors que manifestement le client a tort ?

Assurément ! On peut même aller plus loin et dire qu'il A RAISON. Il y a toujours quelque chose de vrai dans ce que dit le client.

Prenons quelques exemples :

a) Le client : « *C'est fragile* ».

Le vendeur : « *Vous avez raison, la plupart de ces appareils sont très fragiles et doivent être maniés avec précaution. Celui-ci par sa conception totalement différente, peut être utilisé par n'importe qui avec juste une formation de départ, très simple* ».

b) Le client : « *Sa toxicité est trop forte* ».

Le vendeur : « *Vous avez raison, la toxicité est un élément très important ; aussi je propose que nous l'examinions attentivement* ».

c) Le client : « *Mes clients n'aimeront jamais cela* ».

Le vendeur : « *Vous avez raison, cela peut surprendre au départ. Moi-même je ne me verrai pas porter cela. Mais c'est un vêtement qui plaît à une certaine clientèle jeune. Les magasins Armand qui en avaient commandé cent il y a deux semaines, ont renouvelé leur commande ».*

Pour varier, vous pouvez, bien sûr, remplacer les trop nombreux « *vous avez raison* » par des « *c'est vrai, j'ai eu la même réaction que vous au départ, mais...* » ou « *c'est tout à fait juste ; plusieurs personnes pensaient comme vous au départ. Permettez-moi de vous expliquer comment elles ont résolu ce problème...* »

4. — *Répondre brièvement et enchaîner sur un autre argument.*

Donner une réponse interminable risque de donner trop d'importance à cette objection que l'on voulait minimiser.

L'objection est souvent de pure forme et le client peut être incité à y revenir et à lui donner plus d'importance qu'elle n'en a si la réponse est trop longue et emberlificotée dans des tas de considérations et d'explications trop circonstanciées. Une fois la réponse donnée il est nécessaire de revenir rapidement à son argumentation pour faire avancer la négociation.

Résumons donc les 4 règles principales pour répondre d'une manière générale à l'objection :

1) *Laisser l'objection s'exprimer.*

2) *Poser une question.*

3) *Ne pas dire qu'il a tort.*

4) *Répondre brièvement et enchaîner sur un autre argument.*

43. *Les 8 recommandations pour répondre aux objections.*

Examinons maintenant les 8 recommandations qui consolideront ces règles de base et nous aideront à utiliser efficacement les objections comme appui à notre argumentation :

1. — *Ne jamais discuter.*

Vous n'êtes pas chez le client pour discutailler, pour vous disputer, pour affirmer votre personnalité ou pour lui démontrer que c'est un incapable doublé d'un imbécile.

Éviter ces discussions stériles qui ne font qu'empoisonner l'atmosphère et rendre plus aléatoire l'issue de la négociation.

Votre objectif, ne l'oublions pas, n'est pas de gagner mais de vendre.

2. — *Ne traitez pas à la légère les objections de fond.*

Ce sont celles qui sous-tendent les freins importants à l'achat. Elles ne doivent pas être négligées, traitées trop rapidement et donner au client l'impression qu'elles ne sont pas prises en considération.

Une bonne manière de vérifier qu'on y a répondu dans sa totalité est de poser à la fin de sa réponse une question de contrôle du type :

« Ai-je répondu complètement à votre question ? »

« Sur ce point avez-vous d'autres explications complémentaires à me demander ? »

« Peut-on examiner, maintenant, un autre aspect important ? »

Si le client n'a pas été rassuré ou convaincu par la réponse, il exprimera de nouveau sa crainte, ses réticences ou sa demande de précisions.

On peut également poser la question suivante : « *A quoi réfléchissez-vous ?* », si on sent que le client est préoccupé et que notre explication n'a pas l'air de le convaincre. Cette manière de poser la question positivera et rendra plus mesurée son intervention.

3. — *Utilisez les « phrases dunlopillo ».*

Malgré les réponses aux objections, qui vous semblent complètes, malgré vos arguments majeurs, il arrive fréquemment que vous n'arriviez pas à persuader le client. Le mieux est alors de reprendre le problème sous un angle différent. Cela permet de débloquer la situation et de donner un autre éclairage à cette situation. Utilisez alors les « phrases-dunlopillo » qui vous permettent de rebondir et de vous retrouver côte à côte avec le client, alors qu'un instant avant vous étiez face à face ; ce sont les phrases du genre :

— *« Essayons de revoir ensemble les points sur lesquels nous sommes parfaitement d'accord et ensuite les aspects sur lesquels nos points de vue divergent. Nous essayerons alors d'imaginer comment les faire converger... »*

Cette phrase permet de recadrer un instant la négociation et de resituer les points d'accord et de désaccord. Ces derniers sont souvent moins importants que les points d'accord, surtout en fin de négociation. Elle dépasssionne le débat et permet par une reformulation synthétique d'éclairer différemment les propos. Elle ouvre de nouvelles portes de discussion ou des choix de solution qui n'étaient pas apparus jusque-là.

Le « OUI... SI » est encore une manière de situer le débat sur un autre plan et d'abandonner celui sur lequel veut vous enfermer le client.

Ainsi si le client dit :

— *« Cet appareil est bien trop cher ! »*

Le vendeur peut répliquer :

— *« OUI, je comprends tout à fait que vous trouviez ce prix élevé. Si vous ne deviez vous servir de cet appareil qu'une fois ou deux, or, vous m'avez dit tout à l'heure que vous deviez l'utiliser tous les jours. »*

Cet autre client peut dire :

— *« C'est fragile »*.

— *« OUI, répond le vendeur, surtout SI on doit le confier à des personnes inexpérimentées. Une formation à son emploi de 5 à 6 heures est nécessaire. Regardez le manuel de formation comme il détaille parfaitement les différentes étapes... »*

Une autre variante est le C'EST EXACT... SAUF qui réplique à une opinion du client.

Le client :

— *« Je ne crois pas que j'arriverai à leur faire revêtir ce type de combinaison »*.

Le vendeur :

— *« C'EST EXACT ; les ouvriers, au début, ont quelque mal à l'utiliser, SAUF si vous... »*

Un autre client :

— *« Ça ne se vendra jamais »*.

Le vendeur :

« *EFFECTIVEMENT, cela a peu de chance de se vendre en l'état, SAUF si vous le mettez dans cette vitrine et que vous placiez, par exemple, un petit présentoir de ce type près de la caisse... ».*

4. — *Utilisez « Pourquoi ».*

Fréquemment le client avance une objection, qui tout en étant d'importance car elle est un frein réel à l'achat, est sans fondement. Dans ce cas le mot « Pourquoi » peut aider le client à rationnaliser ce qui n'est qu'une opinion. Cette technique n'est pas à employer avec un client ergoteur, de mauvaise foi ou face à celui qui émettrait une fausse barbe car elle l'obligerait à s'enfermer dans des justifications dont vous ne pourriez plus sortir. Par contre si de bonne foi le client vous dit :

— « *Mon problème est différent* » ou « *Je n'arriverai pas à m'en servir* », le « Pourquoi ? » dit par le vendeur à ce moment-là risque de faire merveille.

5. — *Remettez à plus tard certaines objections que vous jugez trop précoces.*

Il arrive que certaines objections arrivent trop tôt dans la négociation car le vendeur n'a pas encore démontré tous les avantages de son offre. N'ayant pas vu tout ce que l'offre pouvait lui apporter, le client objecte, de bonne foi, sur des aspects qui s'éclairent par la suite grâce à la démonstration du vendeur et qui rendent ces objections sans fondement.

L'objection « prix » est une objection qui vient souvent très tôt dans la négociation. Évidemment, le prix paraîtra trop élevé si le vendeur n'a pas « vendu » auparavant tous les avantages de son offre. Le mieux est de dire « *Je note votre remarque. J'y reviendrai dans un instant. Auparavant permettez-moi de vous montrer...* » ou « *J'aimerais, avant de répondre à votre question, vous préciser les deux points suivants...* ».

6. — *Ne perdez pas votre temps à traiter les objections non sincères et non fondées.*

Le mieux est de les ignorer, de faire comme si le vendeur ne les avait pas entendues. Vouloir les traiter, obligera le client à les justifier, à les défendre comme si c'était des objections réelles et le résultat sera un conflit d'opinion inutile et néfaste. Si réellement on ne peut les ignorer le mieux est de donner raison au client, ou de minimiser son objection en peu de mots et de poursuivre son argumentation.

7. — *Ne vous bloquez pas sur une objection difficile.*

Certaines objections sont plus difficiles à traiter que d'autres. Si vous n'arrivez pas à sortir d'une situation de blocage et si vous sentez que ne répondant pas à cette objection la vente est en train de s'enliser, le mieux est de dire au client :

— « *Je vous propose que nous laissions ce point pour le moment, nous le reprendrons plus tard. En attendant voyons les autres éléments...* » et de poursuivre votre démonstration.

Les avantages de l'ensemble de l'offre peuvent être tels que l'objection sur laquelle la vente bloquait et qui paraissait gigantesque au départ, deviendra minuscule par la suite.

Une autre formulation est de dire : « *Supposons ce problème résolu* (on le reprendra plus tard) *et voyons en attendant les autres avantages...* ».

La passion s'apaise. Les autres avantages donnent encore plus de poids à votre offre et parfois il n'est même plus utile de revenir sur l'objection qui bloquait « bêtement » l'entretien.

8. — *Faites trouver la solution au client.*

Chaque fois que la solution est à la portée du client mais que, par routine, par manque de temps ou par oubli il n'y a pas pensé, une pratique efficace et valorisante est de lui faire trouver lui-même la solution. Elle sera d'autant plus acceptée qu'elle vient de lui. Le rôle du vendeur sera de l'aider dans cette voie et de faire en sorte que la paternité de cette idée lui en revienne.

1er exemple :

Le médecin :

— « *J'ai utilisé votre NIDRYL et j'ai trouvé que ce n'était pas très bien toléré. Quelques-uns de mes clients ont eu des brûlures d'estomac* ».

Le visiteur médical :

— « *C'est exact. Il arrive que, chez des personnes particulièrement sensibles, on constate une sensation d'aigreur et des légères brûlures d'estomac qui passent d'ailleurs très rapidement. Que pensez-vous leur conseiller, alors, comme traitement d'appoint ?* »

Le médecin :

— « *Je ne sais pas, moi. Un pansement gastrique du type « Phosphalucalm ».*

Le visiteur médical :

— « *C'est une très bonne idée et il n'y a aucune opposition entre les deux médicaments* ».

2ᵉ exemple :

Le client :

— « *Je les ai mis en vitrine pendant un mois et ça ne s'est presque pas vendu* ».

Le vendeur :

— « *Comment allez-vous faire, alors ?* »

Le client :

— « *Je ne sais pas, moi* ».

Le vendeur :

— « *Que faites-vous ordinairement quand vous voulez pousser un produit ?* »

Le client :

— « *Quand j'en ai beaucoup, j'organise une promotion et je demande à mes vendeurs d'en parler à tous mes clients* ».

Le vendeur :

— « *C'est une excellente idée. Voyons comment nous pouvons l'organiser cette promotion* ».

Qui dit « méthode générale de réponse aux objections » dit « techniques particulières ». Certaines objections nécessitent un traitement spécial. C'est au vendeur de savoir celles qui peuvent être traitées par la méthode générale et celles qui exigent une formulation différente dans la réponse pour asseoir solidement son argumentation et avancer positivement vers la conclusion.

Ces techniques particulières sont au nombre de huit.

44. *Les 8 techniques particulières de réponses aux objections.*

1. — *Reformulez l'objection sous forme de question en changeant les termes.*

Cette technique permet de :

— dédramatiser l'objection en la reformulant. D'une affirmation brutale, on en fait une question simple et naturelle ;

— de la positiver en changeant les termes ;

— répondre dans une direction plus favorable au vendeur.

1er exemple :

Le client :

— « *Ça se salit vite* ».

Le vendeur :

— « *Au fond, la question que vous posez est de savoir si ça se nettoie facilement ; c'est bien cela, n'est-ce pas ?* »

2e exemple :

Le client :

— « *Il y en a 10 identiques sur le marché* ».

Le vendeur :

— « *En somme, vous vous demandez ce qui différencie le nôtre des autres ? Et bien je vais vous répondre* ».

2. — *La méthode de l'appui.*

Elle évite de rentrer dans des justifications du type : « Si on a fait cette modification, c'est parce que... » qui prennent des allures de défense. Elle utilise la force de l'objection pour montrer qu'il ne s'agit pas du tout d'un point faible comme le sous-entend le client mais d'un avantage tout à fait délibéré.

Le client :

— « *Il est lourd pour un appareil portable* ».

Le vendeur :

— « *Je suis ravi que vous ayez noté ce point car, en effet, seule l'épaisseur de la tôle garantit sa solidité. Ce qui est indispensable pour un appareil qui est transporté et chahuté dans tous les sens* ».

3. — *La méthode préventive.*

Est à employer quand on est sûr que le client va émettre l'objection ou quand on sait qu'elle est présente dans son esprit. Le vendeur a intérêt alors à l'introduire lui-même dans son argumentation et à y répondre.

Il diminue ainsi la force de l'objection et choisit le moment qui lui est le plus favorable.

Le vendeur :

— « *Je sais ce que vous allez me dire, le filtre aurait pu se mettre à un endroit plus facile d'accès. C'est vrai. Nous aurions pu le mettre là, mais vous vous rendez bien compte qu'il aurait été exposé trop fortement à la chaleur. Tandis que là il a l'avantage d'être...* ».

4. — *La méthode du oui... mais.*

Chaque fois que l'on doit contredire le client, chaque fois que l'on a envie de dire NON, le mieux est de dire OUI. Cela diminuera son agressivité, désarmera son esprit de contradiction et vous évitera d'entrer en conflit avec lui. Le MAIS, ajouté un peu plus loin dans votre phrase rétablira la situation, telle que vous désirez qu'elle le soit.

1er exemple :

Le client :

— « *Ça s'encrasse facilement* ».

Le vendeur :

— « *OUI, c'est vrai, chaque fois que l'on ne prend pas la précaution de fermer le clapet d'arrivée d'air ou si l'on ne change pas l'huile, MAIS...* »

2ᵉ exemple :

Le client :

— « *Ça prend beaucoup de place* ».

Le vendeur :

— « *OUI, c'est vrai qu'ils ont quelques centimètres carrés au sol de plus que les autres, MAIS c'est en quelque sorte ce qui explique leur extraordinaire qualité sonore...* ».

5. — *Atténuer l'objection.*

C'est reformuler l'objection en modifiant certains mots pour la remettre à sa juste place et ne pas la traiter avec l'ampleur que voulait lui donner le client.

Le pharmacien :

— « *Mes clients disent que ce sirop a un goût détestable* ».

Le vendeur :

— « *Oui, quelques clients particulièrement difficiles ou sensibles disent qu'il a un certain goût. Il suffit de le faire prendre au milieu du repas...* ».

6. — *La méthode du silence.*

Il n'est pas toujours utile de répondre à toutes les objections. Certaines comme les fausses barbes ne méritent pas qu'on s'y arrête, elles risqueraient de dégénérer en pugilat si on les prenait en compte. D'autres, qui sont des objections de prestige ou des objections sincères mais molles, faibles, de pure forme, peuvent être traitées par le silence. L'important pour le client est parfois d'affirmer son savoir ou de faire un petit baroud d'honneur. Mais cela n'a pas de portée sur la vente. Son désir d'achat n'est pas entamé. Il a dit ce qu'il voulait dire. Il est content. Il n'attend pas de réponse ou d'explication de notre part. Un petit hochement de tête de bas en haut, pensif et on passe à l'argument suivant.

7. — *La méthode interrogative.*

Elle a pour but de réduire l'objection à sa juste valeur quand elle est gonflée artificiellement par le client et d'atténuer sa charge agressive.

Atténuez l'objection

Elle se pratique par une série de questions qui font préciser la pensée de notre interlocuteur et donnent à l'objection sa véritable dimension.

Le client :

— « *Ça se détraque continuellement !* »

Le vendeur :

— « *Qu'est-ce qui vous fait dire cela ?* »

Le client :

— « *Des amis l'ont acheté et en ont été très mécontents* ».

Le vendeur :

— « *Ils ont acheté cet appareil ou un appareil semblable ?* »

Le client :

— « *Je ne sais pas. Je crois cet appareil* ».

Le vendeur :

— « *C'était ce tout nouveau modèle ou un modèle plus ancien ?* »

Le client :

— « *Il y a pas mal de temps qu'ils l'ont* ».

Le vendeur :

— « *Savez-vous comment il est utilisé et dans quelles conditions ?* »

Le client :

— « *Oui, je crois qu'il était pas mal malmené. Ce modèle est différent, vous dites ? Plus solide, peut-être ?* »

8. — *Le témoignage.*

Cette méthode consiste à faire répondre quelqu'un d'autre à sa place. Le vendeur utilisera le témoignage d'un autre client, la référence d'un grand de la profession ou se référera à un ouvrage faisant autorité. Cette technique a l'avantage de ne pas exposer le vendeur. C'est un tiers qui parle et au cas où le client ne partagerait pas l'avis du tiers le vendeur jouerait le rôle de conciliateur et d'arbitre.

Le client :

— « *Ça doit sécher rapidement et devenir vite inutilisable* ».

Le vendeur :

— « *Monsieur Untel, que vous connaissez bien, je suppose, en consomme plusieurs centaines de kilos par an. Il les entrepose sans précautions particulières. Voulez-vous qu'on lui téléphone, et qu'on lui demande ce qu'il en pense ?* »

Le client :

— « *Non, non, ce n'est pas utile. C'est un monsieur exigeant. Si vous me dites qu'il est client chez vous, c'est qu'il doit être satisfait* ».

Répétons-nous. L'objection est un signe de bonne santé de la négociation. Un client indifférent ne fait pas d'objections. Il ne faut donc pas en avoir peur. Il est nécessaire, bien au contraire, de les chercher, de les faire apparaître. Elles vous aideront à conduire votre argumentation en fonction des centres d'intérêt du client.

Ne les traitez pas à la hussarde. Traitez-les avec douceur. Souvenez-vous : le client ne veut pas perdre. N'essayez pas de le contredire, de lui prouver qu'il a tort. Valorisez-le, plutôt. Prenez en considération ses remarques. Elles ne sont jamais futiles, inutiles ou sans importance... pour lui.

Les vendeurs ne sont pas des redresseurs de tort. Pour traiter l'objection, le judo est préférable à la boxe : utilisez la force de l'autre, mais en souplesse et en douceur.

5 SAVOIR PRÉSENTER LE PRIX

51. *Les éléments constitutifs du prix.*

52. *Les règles de présentation du prix.*

53. *Les méthodes pour vendre le prix.*
- Fractionnez le prix en unités plus petites.
- Comparez les gains possibles à la dépense à réaliser.
- Chiffrez les avantages de votre produit en comparaison de son prix.
- Étalez le prix en fonction de la durée d'utilisation.
- Parlez du gain avant la dépense.
- Comparez le prix à un autre produit pour obtenir un effet de contraste.
- Soulignez et valorisez les différences par rapport à la concurrence.
- Vendre la supériorité du prix pour induire des qualités supérieures.

Cinquième condition essentielle :
SAVOIR PRÉSENTER LE PRIX

Dès que le prix apparaît dans une négociation il semble alors que le climat change. Le client qui jusque-là semblait accepter les avantages que l'offre pouvait lui apporter, était prêt à croire à toutes les qualités du produit et manifestait un minimum de collaboration, malgré quelques objections de bonne guerre, modifie son attitude, et veut faire croire au vendeur que ce dernier tente de le duper par un prix exagéré.

La concurrence fait mieux. L'air est connu. Ailleurs l'herbe est toujours plus tendre et les prix, moins élevés... Et le vendeur de se trouver désarçonné : « Si c'était vrai ? »

Cet avantage que prend le client sur le vendeur tient à trois facteurs :

1. — Au moment de l'annonce du prix, la vente n'est pas conclue. Donc même si l'offre correspond en tout point à ce qu'attend le client, celui-ci a toujours la possibilité de repousser ou de refuser l'achat. Il prend donc à cet instant un pouvoir qu'il n'avait pas jusque-là. Les objections, nous l'avons vu, servaient, la plupart du temps, l'argumentation du vendeur.

2. — Contester le prix est toujours plus facile que contester la qualité du produit. Quand le client doutait des qualités il permettait au vendeur d'affirmer son autorité par des preuves que le client, lui, ne possédait pas.

3. — Tout au long de la négociation c'était le vendeur qui menait l'entretien et qui était aux manœuvres des questions et de la démonstration. Il possédait une information et des connaissances que le client n'avait pas. Et puis au moment du prix, les rôles se renversent. Le vendeur est démuni ; c'est le client qui sait ce qu'offre la concurrence. Informations inconnues du vendeur.

Psychologiquement le client reprend son avantage, d'où le changement de climat et de ton, dont le but est de faire perdre de son assurance au vendeur et d'essayer d'obtenir une offre à un prix plus avantageux.

Avant de passer en revue les différentes manières de présenter le prix, il est nécessaire de réfléchir ensemble aux éléments constitutifs du prix.

51. *Les éléments constitutifs du prix.*

Deux éléments importants conditionnent l'acceptation du prix par le client :

1. — Qu'il ait admis que la contrepartie, que l'on pourrait appeler la valeur du produit ou de l'offre, correspond au prix proposé. Il pense alors en « avoir pour son argent ». Cette valeur est constituée d'une part par tous les éléments rationnels qui composent l'offre et qui correspondent à la fonction du produit et aux avantages qui y sont liés mais aussi à des facteurs d'ordre psychologique qui tiennent compte des motivations personnelles de chacun, des sentiments, du poids accordé à tel ou tel avantage etc...

On ne peut donc dire qu'un produit a une valeur absolue. Il n'a comme valeur que ce que le client lui reconnaît. D'où l'importance au moment de la présentation du prix de justifier (ou d'avoir suffisamment, auparavant, justifié) la valeur de l'objet.

2. — Que le poids affectif que donne le client au produit dépasse la valeur de l'offre ; en d'autres termes, que le désir d'achat soit tel que l'objet paraisse alors moins coûteux.

Le client trouve bon marché ce que lui impose son désir et cher ce dont il n'a pas envie ou ce qui lui est imposé.

Plus le besoin est important ou vital, moins le prix prend d'importance.

Tant que le vendeur n'aura pas fait naître ou rendu important le besoin du client et tant qu'il ne lui aura pas donné envie de posséder le produit, le prix paraîtra trop élevé à ce dernier.

52. *Les règles de présentation du prix.*

1. — Ne présentez le prix que lorsque le client a pu apprécier la valeur du produit.

2. — Le mode de paiement est un facteur de réduction de prix. Une dépense étalée sera beaucoup plus « rentable » qu'un prix global en une seule mensualité.

3. — Un climat détendu, une relation vendeur-client sympathique et chaleureuse, un client valorisé et mis en confiance sont autant d'éléments favorables pour faire accepter un prix.

4. — Chaque fois qu'un produit garde sa valeur de revente, utilisez avec force cet argument pour rendre le client moins sensible au prix d'achat.

5. — Présentez un prix précis qui semble correspondre à un calcul détaillé pour éviter le marchandage du client. Un prix trop rond est souvent perçu comme un prix approximatif.

6. — Ayez un prix imprimé. Le client a toujours peur de payer plus cher ce qu'un autre paye moins cher. Le prix imprimé rassure et limite les risques de discussion.

7. — Énoncez le prix calmement en donnant l'impression que vous le trouvez parfaitement naturel.

8. — Restez ferme lorsque le client demande une réduction de prix. Si une concession est obligatoire, négociez une contrepartie : commande plus importante, délais de livraison plus longs, achat de produits d'une autre gamme etc...

9. — Vendez la sécurité que le client achète en faisant l'acquisition du produit, la garantie, le service après vente, l'image de sérieux de la firme, si à avantages égaux votre produit est plus cher que la concurrence. Insistez sur le danger que représentent souvent des propositions « bon marché ».

10. — Dramatisez les conséquences d'un refus en montrant au client ce qu'il perd en n'acquérant pas ce qui lui est proposé.

53. *Les méthodes pour « vendre » le prix.*

1. — *Fractionnez le prix en unités plus petites.*

Exemple 1 :

« Si vous utilisez pour la formation de vos réseaux de vente ce magnétoscope pendant 100 jours par an et cela pendant 5 ans, (soit 500 jours en tout), il ne vous reviendra qu'à 30 francs par jour ».

Exemple 2 :

« L'installation complète reviendra à 8 centimes l'heure d'utilisation ».

2. — Comparez les gains possibles à la dépense à réaliser.

Exemple 1 :

« Cette machine installée vous reviendra à 1 franc 50 l'heure or, en vous faisant produire 30 % de plus que celle que vous avez actuellement, elle vous permettra un gain supplémentaire de 120 francs à l'heure ».

Exemple 2 :

« L'économie réalisée étant de 3 francs par lavage, si vous n'utilisez la machine qu'un millier de fois, vous aurez économisé 3 000 francs. Or son prix d'achat n'est que de 2 200 francs. Non seulement elle ne vous coûte rien mais vous récupérez en plus 800 francs ».

3. — Chiffrez les avantages de votre produit en comparaison de son prix.

Exemple 1 :

« L'investissement est de 6 500 francs. Mais vous n'avez aucun graissage à réaliser. Ce qui correspond à une économie de 1 300 francs par an. Le système se déclenche automatiquement et s'arrête dès la température voulue atteinte. Là encore, pas de frais de personnel pour la mise en route, l'arrêt et la surveillance. L'économie est de... »

Exemple 2 :

« Vous me disiez en acheter une tous les deux ans. Celle-ci, sous condition normale d'utilisation, durera plus de quatre ans, pour le même prix. Ce qui vous la fait revenir deux fois moins cher que ce que vous payez ».

4. — Étalez le prix en fonction de la durée d'utilisation.

Exemple 1 :

« Supposons que vous ne l'utilisiez que pendant trois ans, elle ne vous coûtera que 200 francs par mois ».

La présentation du prix

Exemple 2 :

« *L'investissement que cela représente est de 800 francs pour l'année seulement* ».

5. — Parlez du gain avant la dépense.

Exemple 1 :

« *Si vous en prenez 200, compte tenu des remises par quantité et de la promotion « été », vous gagnerez 2 800 francs de marge brute soit 14 francs par produit alors que vous ne le payez que 12 francs hors taxe* ».

Exemple 2 :

« *D'ici 5 ans elle vous fera gagner au bas mot 300 000 francs, soit plus de deux fois ce que vous la payez aujourd'hui* ».

6. — Comparez le prix à un autre produit pour obtenir un effet de contraste.

Exemple 1 :

« *15 000 francs pour un meuble qui va vous durer toute la vie et qui ne peut que prendre de la valeur, alors que l'achat de votre voiture vous coûte le double et se déprécie tous les jours* ».

Exemple 2 :

« *C'est le prix que vous coûte un repas avec un ami dans un restaurant moyen* ».

7. — Soulignez et valorisez les différences par rapport à la concurrence.

Exemple 1 :

« *Pour deux cent francs de plus vous avez la livraison et la pose gratuite, la possibilité de modifier les éléments par la suite, si vous le désirez, et l'assistance de notre expert pour étudier avec vous toutes les extensions possibles que vous pourriez envisager* ».

Exemple 2 :

« *Ce qui justifie cette différence de 500 francs ? La sécurité d'avoir une machine entièrement automatique, qui ne vous occasionnera aucun frais de personnel, aucun réglage en cours de fonctionnement et dont la consommation est inférieure de 15 % à toutes celles se trouvant sur le marché. Si l'on chiffrait tous ces avantages on arriverait à un chiffre 10 fois supérieur à cette différence de 500 francs ».*

8. — **Vendre la supériorité du prix pour induire des qualités supérieures.**

Exemple :

« Ce prix est plus élevé de 300 francs que celui d'un produit comparable. Les trois avantages suivants justifient cette différence :

1. — Il est indéformable.

2. — Il est résistant aux chocs.

3. — Il n'est pas entamé par les produits corrosifs.

Pour ce type de matériel, êtes-vous d'accord avec moi, que ces trois avantages à eux seuls justifient cette différence ? »

Sixième condition essentielle

---

6 SAVOIR CONCLURE AU BON MOMENT

61. *Les 6 conditions pour conclure.*
- Que le client ait le désir de posséder le produit.
- Que le client ait confiance.
- Que le client ait compris ce que l'offre est capable de lui apporter.
- Que le client puisse justifier sa décision.
- Que le client ait le pouvoir de décision.
- Qu'il ne reste aucune objection sincère.

62. *Les 6 feux verts principaux.*
- Il adopte l'attitude du propriétaire.
- Il s'assure de certaines garanties.
- Il pose des questions sur des points de détail.
- Il demande un avantage supplémentaire.
- Il fait une fausse objection.
- Il revient mollement sur une objection importante.

63. *Les autres feux verts possibles.*
- Il fait intervenir un tiers.
- Il prend en main un visuel.
- Il change subitement d'attitude.

64. *Les techniques de conclusion.*
- Agir comme si c'était conclu.

- Rendre la décision urgente.
- Méthode du bilan.
- Technique de la dernière objection.
- Transformer le client en vendeur.
- Donner un avantage supplémentaire.

65. *Comment terminer l'entretien.*
- En partant rapidement et avec fermeté.
- En le félicitant.
- En lui proposant des services.

66. *Que faire si la négociation n'est pas conclue.*
- Le « non » absolu.
- Le « non » conditionnel.
- Le « non » du non décideur.

67. *Après la visite : analyse de la négociation : 10 règles à respecter.*

6ᵉ condition essentielle : SAVOIR CONCLURE AU BON MOMENT

Toute négociation doit se terminer par une conclusion. Conclure c'est atteindre le but que l'on s'était fixé au départ, c'est-à-dire : vendre ce qui avait été prévu ou plus si possible. Fréquemment, si la négociation a bien été menée et que le produit correspond parfaitement aux besoins du client, celui-ci se décide tout seul. Malheureusement, de nombreuses fois le client n'est pas capable de se décider tout seul. L'achat peut représenter un sacrifice auquel il a peine à se résoudre. Choisir n'est pas un acte facile : il doit abandonner d'autres solutions déjà envisagées, changer de fournisseurs, modifier ses habitudes et celles de son entourage, justifier son achat à ceux qui sont également concernés. La décision est le moment important de la vente et provoque de la part du client des hésitations, des tensions qui peuvent être négatives. Le vendeur doit être capable de sentir l'approche de cette minute de vérité et de faire en sorte par toute une série de comportements et de techniques, de provoquer la décision favorable.

Paradoxalement, c'est souvent le moment où, parvenu au terme de son action, après avoir franchi avec succès les étapes d'ouverture au dialogue, de détection des attentes du client, de présentation des arguments et des preuves, de réfutation des objections, que le vendeur se déconcentre et relâche son effort.

C'est vers la fin, alors que la tension est à son maximum et que le client hésite à faire le pas, que le vendeur doit surmonter sa propre inquiétude et transformer l'indécision en accord.

C'est au vendeur qu'il appartient de conclure mais pour cela, il est nécessaire de :

— être assuré qu'un certain nombre de conditions sont remplies ;

— détecter les signaux de désir d'achat que va émettre inconsciemment le client ;

— maîtriser les techniques de conclusion adaptées à la situation.

Ensuite, il doit savoir :

— comment terminer l'entretien et que faire si la négociation n'est pas conclue.

61. *Les 6 conditions pour conclure.*

Il n'existe malheureusement pas un seul bon moment pour conclure. Le vendeur ne peut dire « C'est maintenant ou jamais ». Il est rare qu'il puisse savoir :

— si toutes les conditions, pour que son client puisse se décider, sont réunies ;

— si, bien que ces conditions soient réunies, il ne manque autre chose que ne soupçonne pas le vendeur.

Pourtant, il faut que les 6 conditions suivantes soient remplies pour que le vendeur tente de guider le client vers la décision favorable.

1re condition :

Quels que soient la qualité et le brio de la démonstration et de l'argumentation, il faut que le client ait le DÉSIR de posséder le produit. S'il se dit « Effectivement c'est exceptionnel mais ce n'est pas pour moi, ou tout compte fait je n'en ai pas aussi envie que cela... » le vendeur peut penser alors qu'il n'a pas su éveiller le désir du client. Il a fait une négociation probablement d'ordre technique mais il n'a pas suffisamment joué sur les aspects psychologiques. Il n'a pas donné envie au client de posséder l'objet ou d'utiliser la solution proposée.

2e condition :

Que le client ait CONFIANCE dans le produit, dans le vendeur, en la Société.

Pour donner confiance au client, il faut que le vendeur :

a) Ait confiance en lui-même. S'il est hésitant, mal assuré, s'il emploie des mots qui provoquent, le doute ou la méfiance il y a de fortes chances que le client perçoive cette inquiétude et renforce son hésitation en retardant la décision à une autre occasion.

b) Croit en sa Société et en son produit. Là encore, on ne vend bien que si l'on est soi-même convaincu de ce que l'on vend.

La confiance se gagne en agissant avec calme et naturel comme si la prise de décision s'imposait d'elle-même de façon évidente pour le vendeur mais surtout pour le client. Si le vendeur chancelle au moment décisif, pourquoi son client ne vacillerait-il pas également ? Débit précipité, enthousiasme incontrôlé, formulation incertaine... donnent au prospect l'imprécise et désagréable impression de se « faire avoir ». L'attitude du vendeur conditionne l'attitude du client.

A vendeur trop hésitant .... client peu engagé.

A vendeur trop agressif .... client sur la défensive.

A vendeur confiant .... client rassuré.

3ᵉ condition :

Que le client ait COMPRIS tout ce que l'offre était capable de lui apporter. Combien de ventes ne se sont pas réalisées parce que le client n'avait pas saisi la portée et l'importance des avantages qui lui étaient offerts ! Et le client, ayant choisi d'autres solutions avantageuses pour lui, avait par la suite regretté son achat... un peu tard, il est vrai.

Il est important que tout au long de la négociation le vendeur ait vérifié la compréhension de son client. Deux règles simples doivent permettre d'arriver à ce but :

— Répéter et résumer.

— Poser des questions de contrôle du type : « *Qu'en pensez-vous ?* » « *J'aimerais connaître votre point de vue sur la présentation de cet élément* » « *Avez-vous sur ce point des questions à me poser ?* »

4ᵉ condition :

Que le client puisse JUSTIFIER sa décision. Toute personne qui a pris une décision a besoin de la justifier. Quand elle n'a pas toutes les raisons valables ou qu'on lui fait des objections, il lui arrive alors d'inventer des justifications pour « revendre » à d'autres sa décision et pour se prouver qu'elle avait raison de la prendre.

Là encore, dans son argumentation le vendeur doit introduire des éléments qui vont aider le client à justifier sa décision. Comment ?

— En lui donnant des raisons valables pour se décider ;

— En lui donnant des raisons logiques, et pas seulement des raisons affectives, qui peuvent être différentes de celles qui lui ont été données pour prendre sa décision.

5ᵉ condition :

Que le client ait le POUVOIR DE DÉCISION. En effet, c'est avant la visite qu'il faut s'assurer que le client a pouvoir de décision. Sinon il sera difficile de savoir ce qu'il en est. Il est possible que le client :

— ait pouvoir de décision, mais dise qu'il ne l'a pas. Dans ce cas, il donne un prétexte pour ne pas se décider ;

— n'ait pas pouvoir de décision mais ne désire pas vous le dire. Dans ce cas, la décision traîne et n'aboutit jamais.

6ᵉ condition :

La sixième condition est qu'il ne reste aucune OBJECTION SINCÈRE. Aucun client ne peut se décider s'il a encore en tête une objection qu'il ne peut exprimer. C'est pourquoi il est important de chercher les objections, de les solliciter, de les faire apparaître pour pouvoir y répondre et apaiser ses inquiétudes. Tout l'art du vendeur est de mettre suffisamment en confiance le client pour que celui-ci exprime la totalité des objections. Si le client ne se livre pas le vendeur doit alors, par des questions de contrôle, chercher les objections « *Avez-vous des remarques à me faire sur ce point important ?... Est-ce donc que tout est clair ?* » Si les objections n'apparaissent pas mais que le vendeur les connaît ou les pressent, il doit donc lui-même les formuler et y répondre comme si elles avaient été faites par le client.

Une fois que ces 6 conditions ont été remplies, le vendeur doit « sentir » à quel moment la recherche de l'incitation à la décision doit être entreprise. Heureusement le client lui montre souvent qu'il est prêt à se décider par certains signes que l'on appelle des « clignotants, des feux verts ».

Il est indispensable que le vendeur apprenne par une observation permanente et attentive à les déceler. Il existe en gros 6 feux verts principaux et quelques autres dont nous donnerons aussi des exemples.

62. *Les 6 feux verts principaux.*

Deux erreurs souvent trop fréquentes sont de :

— vouloir conclure trop tôt ;

— tarder à conclure.

Dans le premier cas, le client n'est pas prêt, il ne possède pas tous les éléments pour se décider, il a encore des objections qui l'inquiètent. Le fait de sentir une pression trop forte notamment pour l'inciter à prendre une décision rapide va lui donner le sentiment que le vendeur est plus préoccupé par la vente du produit que de satisfaire son besoin.

Dans le deuxième cas, le client risque de se faire peur à lui-même, de trop réfléchir, d'inventer des objections et de se fabriquer des freins supplémentaires.

Pour conclure avec le plus de chance de succès, il faut donc percevoir chez le client un certain nombre de signes, de clignotants qui indiquent qu'il est temps de tenter une technique de conclusion.

1ᵉʳ clignotant : il adopte l'attitude du propriétaire.

— Le client agit et parle comme si dans son esprit le produit était déjà acheté.

— Il énonce lui-même des arguments.

— Il demande à être rassuré.

— Il se convainc lui-même de son utilité : « *c'est ce qu'il me faut* » ou « *je l'utiliserai probablement également pour...* »

2ᵉ clignotant : il s'assure de certaines garanties qui ne portent plus sur l'objet même de l'achat mais sur les services annexes liés à l'offre.

Par exemple :

— *Vous chargez-vous de l'installation ?*

— *Qui assure le service après vente ?*

— *Les délais de livraison sont-ils en général respectés ?*

3ᵉ clignotant : il pose des questions sur des points de détail, après la discussion sur les problèmes de fond.

— *Quelles sont vos conditions de règlement ?*

— *Par quel moyen de transport allez-vous le livrer ?*

— *Pouvez-vous me redire en deux mots comment cela fonctionne ?*

Il arrive souvent qu'il demande au vendeur de répéter une affirmation, d'expliquer ou de réexpliquer un point précis.

4ᵉ clignotant : il demande un avantage supplémentaire.

Mentalement il est prêt à se décider mais il a peur de faire une mauvaise affaire. Aussi pour se persuader qu'il n'est pas perdant, pour faire une meilleure affaire, pour se justifier qu'il avait raison de se décider, il essaie de marchander ou d'obtenir un avantage de plus.

5ᵉ clignotant : il fait une fausse objection.

C'est l'objection de dernière minute et qui n'est pas véritable dans l'esprit du client. Il se débat avec lui-même. Il aimerait acheter mais il est inquiet et se demande s'il prend une bonne décision. N'ayant plus d'objections véritables, il retarde le moment de se décider en faisant des « fausses barbes ». Exemple :

— *Mon ancien appareil marche encore, tout compte fait ! Je ne vais quand même pas le mettre à la casse.*

— *Oui, l'offre est intéressante mais je ne suis pas sûr que tous les modèles plairont à ma clientèle.*

6ᵉ clignotant : il revient mollement sur une objection importante.

Bien souvent, il revient « mollement » sur une objection importante. En fait, cette objection n'est plus véritablement un obstacle à l'achat. Il essaie d'avoir soit la preuve supplémentaire qu'il a raison de se décider, soit des arguments pour justifier sa décision auprès de son entourage.

63. *Autres exemples de clignotants possibles.*

Pourquoi « possibles » ? Et bien, parce que le contexte a une très grande importance. La même question posée par deux clients dans deux situations différentes peut être un « clignotant » dans un cas et ne pas l'être dans l'autre (cela dépend de ce qui s'est dit avant, du ton sur lequel la question a été posée...). Dans la pratique, il est indispensable de tenir compte du contexte pour savoir s'il y a « clignotant » ou non.

En voici quelques-uns :

— *Il fait intervenir un tiers :*

● Il téléphone à un collaborateur et lui demande de le rejoindre pour prendre part à l'entretien.

● Il fait venir un collègue pour lui faire voir comment fonctionne la machine.

— Il prend en main un visuel (échantillon, photo, notice, avenant, documentation, brochure...) déjà commenté, le regarde à nouveau et pose ou non une question.

— Il change subitement d'attitude. Ceci peut indiquer qu'intérieurement sa décision est prise ou que quelque chose a accroché « sérieusement » son intérêt.

● *L'expression de son visage change.* Il devient plus tendu, plus réfléchi.

● *Ses silences sont plus longs.*

● *Il hésite ;* il se gratte la tête ou se frotte le menton. Il hoche lentement la tête.

Il peut arriver que, malgré toute l'attention du vendeur, n'apparaissent pas clairement ces fameux clignotants. Il faut alors les provoquer pour « reconnaître le terrain » et surtout pour savoir où en est le client par rapport à la prise de décision. Ceci permettra de mettre à jour les obstacles qui pourraient rester et qu'il faudra franchir avant de conclure. Comment provoquer ces « clignotants » ? Par des questions de contrôle.

Exemple :

Vendeur 1 : *« Maintenant que je vous ai expliqué le fonctionnement, cela vous semble plus simple, n'est-ce pas ? »*

Client 1 : *« Oui. Ça reste encore un peu compliqué mais moins que je ne le pensais. »* (Il revient « mollement » sur une objection).

Vendeur 2 : *« Où pensez-vous installer cet appareil ? »*

Client 2 : « *Eh... bien... ah, ici, il sera probablement à la meilleure place.* » (Il adopte l'attitude du propriétaire).

C'est à plusieurs reprises, vers la fin de l'entretien, que ces questions de contrôle seront faites et si elles ne donnent pas le feu vert pour tenter de conclure... Qu'importe ! Rien n'est perdu... il suffit de poursuivre l'argumentaire. Trois principes sont à retenir :

A. — Il est préférable d'essayer de prendre la commande trop tôt que trop tard.

B. — Chercher la conclusion vers la fin de l'entretien soit immédiatement après avoir bien répondu à une objection majeure, soit après un argument fort, soit à la fin de l'argumentaire.

C. — Une réponse négative à une question de contrôle ne doit pas être considérée comme définitive mais bien davantage comme une invitation à poursuivre l'argumentation en la poussant plus à fond.

64. *Les techniques de conclusion.*

Dès que les clignotants ou les questions de contrôle laissent supposer que le client est prêt à se décider, il est nécessaire alors de tenter une technique de conclusion. Nous allons passer en revue quelques-unes de ces techniques :

1) *Agir comme si c'était conclu.*

• Pour un client, il est plus facile d'approuver tacitement la solution qui lui est présentée. De plus, il est toujours difficile d'aller à l'encontre de l'attitude positive et confiante du vendeur. Surtout si cette attitude est la suite d'arguments développés avec objectivité... et qu'il a acceptés. S'il ne « contre » pas, c'est qu'il approuve. La prise de décision n'est plus très éloignée. En procédant ainsi, le vendeur rend le refus d'acheter plus difficile que l'achat.

• Tout dans l'attitude et le comportement du vendeur témoigne de la certitude qui l'habite de voir, en fin d'entretien, la décision prise en sa faveur.

Comment agir comme si c'était conclu ?

A) *En posant une question alternative qui demande un choix*, une prise de décision entre deux solutions, toutes deux favorables à l'achat.

Ex : *Quelle est de ces deux machines celle qui vous paraît le mieux convenir ? La petite qui pourrait facilement se loger ici ou la plus grande qui irait dans la pièce voisine ?*

B) *En recherchant l'accord du décideur sur un point de détail.* S'il est d'accord on peut passer sur un autre point pour arriver jusqu'à la décision globale d'achat. Par contre si l'accord ne s'est pas fait sur un détail, la vente n'est pas pour autant compromise.

Ex : *Si je comprends bien, son mécanisme vous convient parfaitement, n'est-ce pas ?*

— Oui.

— Nous assurons la formation du responsable d'entretien à son bon fonctionnement. Nous pouvons le faire soit à notre usine, soit lorsqu'elle sera installée chez vous. Quelle solution préférez-vous ?

C) *En engageant une action précise, immédiate.*

Cette méthode a pour but d'engager son interlocuteur à l'action et le mettre en position d'utilisateur. Elle permet de balayer les dernières hésitations et d'aider les prospects inquiets à prendre une décision qui fait peur ou qu'ils, ont tendance à reporter à plus tard.

— Me permettez-vous de téléphoner pour savoir quand ils peuvent vous les livrer ?

— Ces échantillons vous permettront de faire le traitement pendant la première semaine. Dès demain, je vous ferai envoyer le complément qui couvrira vos besoins pendant un mois.

— Pouvez-vous faire venir votre chef d'atelier pour que je lui montre comment il doit pratiquer l'installation en bout de la chaîne 3 ?

2) *Rendre la décision urgente.*

Il est toujours dangereux de retarder une décision d'achat et de permettre au client de réfléchir trop longtemps. La nuit portant conseil, il peut très bien conclure que son besoin n'est pas si urgent, que plus il cherchera, plus il aura la chance de trouver l'affaire exceptionnelle, ou que tout compte fait une autre solution pourrait mieux lui convenir. Si l'on sent que nos derniers arguments ont porté mais qu'il hésite encore, cette méthode du « petit coup de pouce » permet d'accélérer la décision et d'enlever l'affaire sur le champ : elle consiste à montrer au client qu'il perdra un avantage en reportant à plus tard sa décision :

— *C'est la dernière qu'il me reste et j'ai deux acheteurs potentiels. L'un d'eux doit me téléphoner ce soir. Je la laisserai au premier qui se décidera.*

— *Dès la semaine prochaine je serai obligé d'appliquer l'augmentation prévue. En vous décidant aujourd'hui vous économiserez X... francs.*

— *Je n'ai pratiquement plus de stock. Si vous vous décidez maintenant je pourrai vous les faire livrer dès jeudi. Sinon il faudra attendre un délai de 3 semaines.*

3) *Méthode du bilan.*

Les avantages l'emportent souvent sur les inconvénients, mais le client se polarise sur un point faible parfois secondaire et ceci suffit à lui faire repousser l'offre. La méthode du bilan consiste à faire l'inventaire des objections faites par le client et des réponses satisfaites apportées. Si une objection n'a pu être résolue, il faut également l'énoncer en l'opposant à tous les avantages que le produit apporte. On lui demande alors ce qui lui semble plus important.

— Résumons-nous : *d'un côté vous dites qu'il est lourd, (ce qui est en fait une garantie de sa solidité) et d'autre part vous pouvez constater que son prix est le moins cher du marché, que le bras est repliable ce qui limite son encombrement, et qu'en plus toutes les parties mobiles sont démontables. Qu'est-ce qui est pour vous le plus important ?*

4) *Technique de la dernière objection.*

Certains clients prennent un malin plaisir à multiplier les objections. Après avoir énuméré toutes les objections majeures, ils s'arrêtent alors sur les points de détail. Ces indécis, ces pointilleux perfectionnistes risquent de faire perdre au vendeur un temps précieux, de se bloquer sur une question secondaire et de ne pas se décider. Cette technique consiste, après avoir répondu à une objection et alors que le client réfléchit encore à la réponse, de demander au client : « *Je crois avoir répondu à toutes vos remarques, avez-vous peut-être encore UNE dernière question ?* » Une autre méthode peut être utilisée. Elle consiste à dire : « *Est-ce le dernier point qui vous fait encore hésiter ?* » Le client répond en général par l'affirmative. Il ne reste plus au vendeur qu'à répondre à l'objection et à conclure naturellement.

5) *Transformer le client en vendeur.*

Cette méthode consiste à demander au vendeur quelles raisons et quels avantages le décideraient à adopter le produit ou la solution proposée. Le client en autoargumentant renforce sa propre conviction et le vendeur peut alors conclure simplement :

« *Ma démonstration est maintenant terminée. Puis-je vous demander quels sont les avantages qui vous ont le plus séduit ?* »

6) *Donner un avantage supplémentaire* pour enlever les dernières hésitations et en laissant percevoir que cet avantage est exceptionnel ou est un geste amical du vendeur. Il arrive fréquemment que le client de peur de voir cet avantage retiré, accélère lui-même la décision.

De nombreuses autres techniques de conclusion existent. L'important au-delà de la technique est la volonté de conclure dès que le vendeur a senti un feu vert sans donner au client, qui a résisté parfois pendant longtemps, l'impression qu'il a cédé.

65. *Comment terminer l'entretien.*

a) *En partant rapidement et avec fermeté.*

Ceci ne veut pas dire que le vendeur doit filer comme s'il avait accompli une mauvaise action. Il faut pourtant penser que si le vendeur reste trop longtemps après la prise de décision, le client repense à l'affaire et se demande s'il a eu raison de se décider. Il risque de demander des avantages supplémentaires ou de remettre en cause la décision. Lorsque le vendeur n'est plus là, sa décision sera pour lui une affaire réglée. Après la tension procurée par une négociation difficile, le vendeur a souvent tendance, dans une sorte d'excitation « post-action », de parler de tout et de rien, de blaguer, d'en ajouter pour décompresser. Ce sont des bavardages inutiles et dangereux.

Donner un avantage supplémentaire

b) *En le félicitant.*

Après avoir pris une décision, le client est souvent inquiet. Il a besoin d'être encouragé et le devoir du vendeur est de le rassurer et de le féliciter de la décision prise :

— *Vous avez bien fait de choisir ce modèle. C'est le plus beau et le plus rentable. Il plaira sûrement à votre clientèle.*

— *A votre place, j'aurai fait de même. C'est plus sage de commander l'appareil le plus puissant. Si vous avez une surcharge de travail vous pourrez l'encaisser sans difficulté.*

c) *En lui proposant des services.*

Le client ne doit pas avoir le sentiment d'être abandonné à lui-même. Le vendeur doit se mettre à sa disposition surtout si ce qui a été vendu exige :

— des démarches (exemple : autorisation d'installation) ;

— des papiers (exemple : vente à crédit) ;

— des travaux (exemple : installation) ;

— une formation (exemple : apprentissage, démonstration) ;

— un service après vente (exemple : dépannage, entretien) ;

— une aide à la vente (exemple : animation sur le point de vente).

66. *Que faire si la négociation n'est pas conclue ?*

Malgré nos tentatives pour le décider, malgré le fait que nous soyons revenus à la charge, à plusieurs reprises, notre interlocuteur se refuse à prendre une décision.

C'est le « NON » absolu.

« Monsieur, merci. J'ai mes fournisseurs auxquels je suis fidèle : ils me donnent entière satisfaction et je n'ai pas l'intention d'en changer. Merci de m'avoir rendu visite. »

Que faire ?

Préserver l'avenir... Vous avez perdu une vente, ne perdez pas un futur client.

1. — Remercier du temps qu'il vient de vous accorder.

2. — Jeter les bases d'une nouvelle relance, si vous le jugez utile.

3. — Partir en faisant contre mauvaise fortune bonne apparence :

— « *Je vous remercie de l'occasion qui m'a été donnée de vous présenter notre nouveau produit. Dès que je serai en possession de renseignements complémentaires sur son utilisation, sur des modèles identiques aux vôtres, je vous les communiquerai. Ce sera d'ici 3 à 4 mois. Cela vous convient ?* »

— « *Vous m'avez dit que vous attendiez fin février trois nouvelles machines. Si vous le permettez je passerai courant janvier vous communiquer les résultats d'application sur des machines analogues aux vôtres. Merci de m'avoir accordé cet entretien. — Au revoir M. Lefebvre.* »

C'est un « non » conditionnel.

Votre interlocuteur tente d'obtenir, en dernière minute, un avantage supplémentaire, et lie sa prise de décision, sa commande à la satisfaction faite à sa demande.

— « *Eh bien Monsieur, c'est d'accord, d'accord pour démarrer tout de suite l'essai de votre produit sur 10 machines, mais bien sûr vous ne me facturez ce contrat qu'après 3 mois, le temps que je puisse me rendre compte de l'intérêt du procédé.* »

— « *Eh bien Monsieur, je suis décidé à vous prendre ce nouveau produit mais je viens de faire l'état de mon stock et j'ai encore des produits de votre concurrent pour environ 3 mois.* »

Que faire ?

Ne pas abandonner... S'accrocher... Essayer d'obtenir quelque chose.

1. — VÉRIFIER QUE cette objection de dernière minute n'en cache pas d'autres plus profondes.

2. — LA SATISFAIRE, si vous en avez la latitude et LA NÉGOCIER contre un nouvel avantage.

3. — SI VOUS N'EN AVEZ PAS LA LATITUDE, reprendre l'argumentation et FAIRE UNE NOUVELLE TENTATIVE sur une partie de la proposition ou sur une autre proposition.

— « *Sur le principe, Monsieur Lefebvre, vous êtes convaincu mais vous souhaitez que nous prenions à notre charge les contrôles de vos machines pendant les 3 premiers mois ?* »

— « *Eh bien d'accord, Monsieur Lefebvre, mais je note simultanément la fourniture de produits d'appoint étalée sur cette même période, aux conditions convenues entre nous.* »

— « *Sur ce point je ne puis vous donner satisfaction, Monsieur Lefebvre mais peut-être estimez-vous qu'en limitant cette première application aux 5 machines que vous allez mettre en service la semaine prochaine, l'opération présente pour vous un intérêt plus immédiat pour un coût global plus faible.* »

— « *Vous avez pris votre décision, Monsieur Lefebvre mais avant de mettre en service le nouveau produit vous voulez finir vos stocks.* »

— « *Eh bien c'est entendu, en vous faisant parvenir 5 fûts début septembre, ce qui couvre vos besoins pour 2 mois, la liaison avec votre produit actuel se fera tout naturellement. Je vous fais parvenir cela avant le 10, ça vous convient ?* »

C'est le « NON » du non-décideur.

Malgré les précautions prises pour n'argumenter que face à un interlocuteur ayant pouvoir de décision, celui-ci se retranche, par obligation ou par dérobade, derrière l'avis d'un tiers :

— « *Si cela ne tenait qu'à moi, ce serait OUI, OUI tout de suite mais voilà je ne suis pas le seul décideur et il faut que j'en parle à mon frère* ».

— « *L'investissement est trop important pour que je prenne seul la décision* ».

Que faire ?

Garder l'initiative et faire progresser l'affaire.

1. — Faire confirmer en premier lieu, l'accord de votre interlocuteur.

2. — Obtenir un rendez-vous pour défendre l'offre avec les décideurs (votre interlocuteur et celui derrière l'avis duquel il se retranche).

3. — En cas de refus remettre à votre interlocuteur des éléments simples pour lui permettre de convaincre celui ou ceux qui ont pouvoir de décision.

— « *Votre frère, Monsieur Lefebvre, ne pourrions-nous le rencontrer ensemble dès maintenant ou si vous le jugez préférable, demain matin ? Pouvons-nous lui téléphoner maintenant ?* »

— « *Vous me dites préférable d'en discuter seul à seul. Pour résumer brièvement notre entretien voici les points-clés qui ont plus particulièrement retenu votre attention. Si vous le jugez préférable je vous les confirme par écrit...* »

— « *Puis-je à ce sujet reprendre contact avec vous la semaine prochaine... Disons mardi vers 11 heures ou préférez-vous mercredi en fin d'après-midi vers 17 heures-17 heures 30.* »

67. *Après la visite : analyse de la négociation.*

Quel que soit le résultat de la négociation, il est utile d'ANALYSER ce qui s'est passé...

— pour découvrir nos points faibles afin d'y porter remède ;

— pour déceler nos points forts afin d'en tirer le meilleur parti possible.

En cas de succès

1 — A quel(s) moment(s) de l'entretien ai-je senti que mon interlocuteur allait prendre une décision favorable ?.

a) Clignotants :
ce qu'il a fait
ce qu'il a dit

b) Après une question-sondage. Laquelle ?

2 — Quelle(s) technique(s) de conclusion ai-je alors mise(s) en pratique pour le décider, ou l'amener à se décider.

3 — Quelle a été l'objection majeure qu'il m'a fallu vaincre pour atteindre cet objectif ?

Quelle réponse ai-je apportée à cette objection ?

4 — Auprès de quel(s) nouveau(x) prospect(s) et auprès de quel(s) prospect(s) ayant déjà dit NON vais-je appliquer cette technique ?

En cas d'échec momentané...

1 — A quel(s) moment(s) de l'entretien ai-je senti que mon interlocuteur ne prendrait pas de décision favorable ?

2 — Quelles sont les véritables raisons de son refus, ou du report de sa décision ?

3 — Comment en fin d'entretien ai-je préparé une prochaine rencontre ?

4 — Quels éléments rassembler d'ici à la prochaine visite pour faire de cet échec momentané, un succès ?

La prise de décision : 10 règles à respecter.

1. — La clé de l'échec ou du succès : il faut la chercher dans la préparation et le déroulement des phrases successives de la négociation.

2. — Décider le décideur : c'est un travail de vendeur. Attendre qu'il se décide seul c'est aller au-devant de désillusions.

3. — Se garder, chaque fois que cela est possible un argument en réserve.

4. — Avant l'entretien définir la ou les méthodes de conclusion les mieux adaptées. Ne pas être contraint à l'improvisation.

5. — Les feux verts de la prise de décision : observez-les, écoutez-les et, si vous le jugez opportun, tentez de conclure.

6. — N'attendez pas les feux verts : provoquez-les par des questions-sondages.

7. — Tentez aussi de conclure :
— après un argument fort ;
— après une réponse à objection.

N'attendez pas la fin de l'argumentaire.

8. — N'abandonnez pas au 1er refus.

Faites preuve de ténacité. Relancez l'argumentation et tentez à nouveau votre chance.

9. — Lorsque la décision est prise, ne prolongez pas inutilement votre visite.

10. — Après la négociation analysez ce qui s'est passé.

Imprimerie GAUTHIER-VILLARS, France
7545 - Dépôt légal, Imprimeur, n° 3261

Dépôt légal : avril 1988

Imprimé en France